Images des Américains dans la Grande Guerre

Images des Américains dans la Grande Guerre

de la Bretagne au front de l'Ouest

Sous la direction de

Gilbert Nicolas,
Éric Joret et Jean-Marie Kowalski

Presses universitaires de Rennes

Special thanks to all those within the SYA community who gave generously to make this project possible.

Nos remerciements s'adressent tout particulièrement aux parents d'élèves de *School Year Abroad Rennes* et à tous les donateurs américains, qui, par leur générosité, ont permis la réalisation de ce projet éditorial.

Publié avec la participation et le soutien de

Université Rennes 2
2 rue Gaston Berger
35043 Rennes cedex

www.pur-editions.fr

Conception graphique et mise en page par
Véronique Perret-Moussart

ISBN 978-2-7535-5487-0

Préface

Jean-Yves Le Drian,
ministre de l'Europe et
des Affaires étrangères

Je suis heureux d'ouvrir par quelques mots les *Images des Américains dans la Grande Guerre, de la Bretagne au front de l'Ouest*. Ces trois dernières années ont été l'occasion pour la Nation de se remémorer les étapes les plus marquantes de la Première Guerre mondiale, ce conflit qui a décidé dans une large mesure du visage tragique du XXe siècle. L'année 2017 est plus particulièrement marquée par le souvenir de l'entrée en guerre à nos côtés des États-Unis, il y a cent ans.

Après un hiver terrible, puis l'échec de l'offensive du Chemin des Dames et les mutineries qui s'ensuivent, la démoralisation gagne le pays face à un conflit qui semble sans issue. La décision prise par les États-Unis, le 6 avril 1917, de prendre part aux lointains combats du front de l'Ouest sonne comme le retour de l'espoir. Avant cette date, la solidarité américaine s'était déjà exprimée par les volontaires engagés dans la Légion étrangère, dans les services sanitaires ou dans la mythique escadrille La Fayette. Mais la sortie officielle de la neutralité marque un véritable tournant dans le conflit, tournant moral avec ce nouvel épisode de l'alliance séculaire entre la France et les États-Unis ; tournant matériel bientôt, avec l'arrivée progressive dans les grands ports de l'Atlantique et de la Manche de milliers de jeunes soldats américains, ceux que les Français baptiseront bientôt du surnom affectueux de *Sammies*. Cet engagement représente aussi un tournant dans l'histoire militaire et diplomatique des États-Unis. Là encore, la mobilisation américaine marque le coup d'envoi du siècle à venir. À la fin de 1918, ils sont près de 2 millions présents sur le théâtre des opérations ; à la fin des combats, des dizaines de milliers d'entre eux sont tombés aux côtés de leurs frères d'armes français.

L'ampleur de ce sacrifice démontre la manière dont notre alliance est inscrite dans l'Histoire. Je pense à ce qu'écrivait Clemenceau en première page de *L'Homme enchaîné* à l'annonce de la décision du Sénat américain : « Le peuple américain, qui reçut la liberté de lui-même, en notre compagnie, s'empresse à l'heureuse fortune de la consolider sur notre terre. » La défense de la liberté, voilà ce qui nous rassemble depuis l'origine. À la source des discours qui célèbrent notre alliance, il y a la réalité des épreuves du siècle passé, les batailles, les deuils et les victoires endurés côte à côte, des tranchées de l'Argonne aux plages de Normandie, des plaines d'Alsace aux montagnes d'Afghanistan. Elle se perpétue aujourd'hui, notamment dans la lutte contre les organisations terroristes, au Sahel ou au Levant, mais aussi par la place qu'occupent les États-Unis dans la sécurité du continent européen. Ce sont des valeurs communes qui nous unissent, celles de la démocratie, du droit et de la liberté, celles que rappelait le général de Gaulle devant le Congrès à Washington, le 25 avril 1960 :

> « ce qui a conduit et maintient la France à vos côtés, c'est, avant tout, son âme millénaire, sa tradition qui fait d'elle un champion de la liberté, son idéal qui a pour nom les Droits de l'Homme, sa conviction qu'en fin de compte l'ordre du monde exige la démocratie dans le domaine national et le droit des peuples à disposer d'eux-mêmes sur le plan international. Or, c'est cela même qui est, également, la lumière, l'inspiration, l'esprit, du peuple américain ».

La présence américaine durant le Premier conflit mondial a profondément marqué de son empreinte la France et bon nombre de ses régions, sans que le souvenir en soit pourtant aussi vif dans la mémoire collective que les combats de la Libération. C'est le grand mérite de ce livre, grâce à un formidable travail de recherche iconographique, de nous rappeler les mille visages de cette présence à l'ouverture d'un siècle dont la modernité, pour notre pays, eut bien souvent l'air de l'Amérique : il suffit de penser aux sports venus d'outre-Atlantique, à l'orchestre de James Reese Europe, du régiment des *Harlem Hellfighters*, qui sillonna la France ou aux grands noms de la littérature américaine qui racontèrent l'engagement américain, Ernest Hemingway, John Dos Passos, Francis Scott Fitzgerald, pour ne citer qu'eux.

En se concentrant sur la Bretagne, ce livre offre un témoignage remarquable de la manière dont cette région si chère à mon cœur fut mobilisée dès l'arrivée des premiers contingents américains. Accueillir les troupes américaines après quinze jours de traversée transatlantique, construire camps d'entraînement et hôpitaux, participer à la mise en œuvre des moyens logistiques d'approvisionnement et de déplacement de ces milliers de combattants, telle fut l'expérience américaine de la Bretagne où la grande Histoire rencontre l'intime, avec les amitiés et les amours qui se nouèrent entre Bretons et Américains à cette occasion. Et c'est encore l'amitié franco-américaine qui est à l'origine de ce travail, l'amitié des élèves américains de *School Year Abroad* venus étudier à Rennes et des auteurs de ce livre, tous également désireux de redonner vie à ces images. Elles sommeillaient au fond des archives publiques et privées ; les voici qui renaissent pour nous et devant nous, grâce à eux. Je veux les en remercier.

Introduction

Gilbert Nicolas

Arrivée des Américains sur les quais du port de Saint-Nazaire, 26 juin 1917. SPA 1 AD 18 © Daniau/ECPAD/Défense.

« Les Américains passent en grand nombre ici pour s'en aller un peu partout : on dirait que la source en serait intarissable tant il y en a », écrit Jean Marie Joseph Neveu, agriculteur à Plouasne (Côtes-du-Nord) et brigadier de la 18e batterie du 7e régiment d'artillerie, dans la carte postale qu'il adresse, de l'Est de la France, le 6 août 1918, à son épouse, Anne-Marie. L'arrivée progressive et ininterrompue de contingents américains, à partir de juin 1917, laisse au sein de l'armée française et des populations une impression de force innombrable, de puissance irrésistible, qui peut changer le cours de la guerre. Pourtant, au début de la Première Guerre mondiale, l'armée américaine, unités d'active et Garde nationale confondues, compte moins de 330 000 hommes. Cet effectif restreint rend l'armée américaine incapable de participer à un grand et lointain conflit international. Avec l'entrée en guerre et le vote du *Selective Service Act du* 18 mai 1917, qui autorise le gouvernement fédéral à augmenter les effectifs par le moyen de la conscription, ses effectifs explosent. Débarqués par vagues, dans les ports de l'Ouest, ce sont presque 2 millions de soldats américains qui sont présents en France, à la fin de la guerre, sur les 4 millions mobilisés.

Sur le théâtre d'opérations européen et avec l'épreuve des combats en France, en 1917 et 1918, se forge la nouvelle armée américaine. Le refus obstiné des autorités civiles et militaires américaines, y compris le général Pershing, d'accepter le système de l'*amalgamation* (amalgame au sein des armées françaises ou britanniques) permet à l'*American Expeditionary Force* (*AEF*) d'affirmer, inégalement selon les unités et parfois après des échecs, sa contribution visible et décisive à la victoire des Alliés.

À un moment critique du conflit sur le front de l'Ouest, après l'échec de la bataille du Chemin des Dames et les mutineries du printemps 1917, apparaît dans le paysage humain de la Grande Guerre en France un nouveau type de soldat, une nouvelle silhouette de combattant, tantôt appelé *Doughboy*, tantôt surnommé *Sammy*, ou encore *Yankee*, coiffé du *Montana Peak* ou *Campaign Hat*, en 1917, du bonnet de police, un an plus tard. Au sein de l'armée américaine, sans faire disparaître la ségrégation raciale, sans supprimer les particularismes locaux d'un territoire immense, l'expérience de la guerre et les sacrifices consentis (114 000 morts et 234 000 blessés, d'après l'historien américain, Jay Winter) favorisent un brassage des hommes et l'atténuation des particularismes régionaux au profit d'un incontestable esprit de corps.

L'idée du présent livre est née d'un projet pédagogique, associant le rectorat de l'académie de Rennes et l'université Rennes 2. Trente-trois élèves américains de *School Year Abroad* (École américaine de Rennes), encadrés par des étudiants de Master d'histoire et leur professeur effectuent des recherches sur les combattants américains dans la Première Guerre mondiale. Utilisant des clichés provenant des collections de l'ECPAD (Établissement de Communication et de Production Audiovisuelle de la Défense), des photos des archives américaines et de collections privées de familles d'élèves américains, le travail historique entrepris débouche sur l'élaboration d'un texte, accompagné d'une quarantaine de photographies, mettant en valeur plusieurs thèmes d'études, sélectionnés par les élèves américains. Cette initiative obtient le label de la Mission du Centenaire 14-18 et la restitution publique de ce travail, sous forme de projection de photographies commentées par les élèves américains, se déroule le 15 avril 2014, dans l'auditorium « Le Tambour » de l'université Rennes 2. Au cours des années suivantes, plusieurs dizaines d'élèves américains des nouvelles promotions de *School Year Abroad* poursuivent les recherches, en abordant d'autres thèmes. Compte tenu de la richesse de la documentation déjà brièvement explorée, de l'existence de fonds inédits en Bretagne, de nouvelles découvertes de cartes postales, de plaques photographiques, etc., cette initiative, sans abandonner son caractère pédagogique, s'oriente vers un travail éditorial plus scientifique. Peu à peu se constitue un groupe de travail composé d'une vingtaine de chercheurs des cinq départements de l'Ouest, issus de milieux professionnels divers, mais disposant tous de compétences scientifiques et techniques. Archivistes, universitaires, présidents d'associations historiques, érudits locaux élaborent un projet et un synopsis de livre. Dans la continuité des travaux réalisés par les élèves américains de *School Year Abroad*, Rennes, s'impose l'idée, non de préparer un ouvrage comprenant un long texte illustré, mais de partir de photographies collectées dans des fonds publics américains et français (plaques de verre numérisées, cartes postales, affiches, extraits de presse, etc.), complétées par des collections privées pour élaborer un livre d'images sur l'histoire de la présence américaine dans l'Ouest, à destination du grand public. L'un des aspects majeurs de ce travail est d'associer photographies et textes scientifiques, sous forme de synthèses de présentation et de légendes étoffées. Bénéficiant d'un partenariat avec l'ECPAD et de nombreux soutiens institutionnels et associatifs, ce projet éditorial reçoit deux précieux labels, celui de la Commission américaine du Centenaire, la *WWI Centennial Commission (WWICC)* et celui de la Mission du Centenaire 14-18.

Le 5 octobre 1918, au cours de l'avance américaine, au nord-ouest de Verdun, un caméraman du *Signal Corps* immortalise une attaque d'artillerie sur une batterie américaine, positionnée sur les contreforts de l'Argonne. *Courtesy of Harry S. Truman Library*, 65-4010.

Outre les aides des collectivités territoriales, l'une des originalités de ce livre est d'être, pour l'essentiel, financé par des familles d'élèves américains de *School Year Abroad*. Le directeur de l'École américaine de Rennes, Denis Brochu, et la direction (*Home Office*) de Boston ont coordonné avec beaucoup d'efficacité la campagne de mécénat en faveur de l'ouvrage, l'année de publication coïncidant avec le 100e anniversaire de la déclaration de guerre des États-Unis à l'Allemagne et avec le 50e anniversaire de la fondation de *School Year Abroad*, à Rennes.

L'historiographie de la Première Guerre mondiale en France, si on excepte les territoires touchés par la guerre terrestre, s'intéresse assez peu au rôle des différentes régions dans le conflit. Pourtant, des parties maritimes de la France, en apparence éloignées du front terrestre, occupent une place majeure dans la logistique et le déroulement des opérations, surtout à partir de l'entrée en guerre des États-Unis. Le territoire de la Bretagne historique est au cœur de la projection des forces américaines en Europe. En juin 1917, le général Pershing choisit d'ailleurs Saint-Nazaire comme quartier général de la base américaine n° 1 en France. Cependant, les ports de l'estuaire de la Loire, adaptés à l'acheminement de matériels, se révèlent insuffisants pour accueillir des contingents importants de soldats, débarqués de navires à fort tirant d'eau. En novembre 1917, c'est le port de Brest, avec sa rade en eau profonde, sa facilité d'accès à marée haute ou à marée basse, sa position abritée des vents et d'éventuelles attaques ennemies, qui a la préférence des autorités américaines. D'ailleurs, les amiraux américains et français, chargés de la sécurité des convois et des patrouilles de l'Atlantique et de la Manche, s'installent dans un même immeuble à Brest. Ce port accueille plus de 800 000 soldats américains et, à la fin de la guerre, voit le réembarquement de plus d'un million d'hommes pour le retour en Amérique.

De même, la Bretagne et les côtes de l'Ouest prennent une part active dans le dispositif de la guerre sur mer, renforcé par l'arrivée des Américains. En témoignent, l'arrivée à Saint-Nazaire (8 juin 1917) de l'un des groupes *du 1st Aeronautical Detachment*, la cession aux Américains de plusieurs bases côtières navales, à partir de l'été 1917 (Le Croisic, Paimbœuf, etc.), leur participation à la formation des pilotes de ballons et d'avions, comme à Meucon (Morbihan). Symboles de l'importance stratégique de la Bretagne historique, les camps de Pontanézen dans le Finistère et de Montoir en Loire-Inférieure. Pontanézen accueille une partie des Américains fraîchement débarqués de Brest et est un véritable camp de transit, avant le départ pour la zone du front. Il compte jusqu'à 5 000 tentes et 1 200 baraques, réparties sur 687 hectares, pouvant recevoir jusqu'à 80 000 soldats, tandis que Montoir, en

Une unité de cameramen et de photographes français et américains, près de Saint-Nazaire, en 1917. Les deux Américains, reconnaissables à leur chapeau de campagne (*Montana Peak*), appartiennent au corps des Marines. *Courtesy of Harry S. Truman Library*, 65-4011.

Loire-Inférieure, constitue un autre symbole du gigantisme de la logistique américaine. Saint-Nazaire et les quatre camps établis sur le territoire de la commune de Montoir regroupent jusqu'à 60 000 Américains. Les grands ports sont réaménagés, des barrages pour l'alimentation en eau sont construits, une partie de la population locale se voit offrir du travail.

Si l'ouvrage se garde d'oublier les grands moments de la préparation à la guerre et de la participation américaine aux combats dans l'Est français, aux côtés des Alliés, entre 1917 et 1918, il met également en lumière les formes de participation américaine à la guerre, dès 1914 et pendant les années qui précèdent l'entrée officielle des États-Unis dans le conflit. Sans prétendre à l'exhaustivité, il évoque non seulement le choix des sites choisis pour l'implantation de l'*American Expedionary Force*, mais les implications économiques et sociales de l'arrivée des Américains dans l'Ouest, ainsi que les apports sanitaires et culturels. Grâce à l'iconographie, les recherches tentent également de croiser le regard des Américains sur l'Ouest français et celui des Bretons sur les soldats américains. Sont également évoqués des aspects moins connus, telles les conditions du réembarquement de centaines de milliers de soldats vers l'Amérique, les aléas de la liquidation des stocks américains ou encore l'évocation des liens d'amitié, voire d'amour, entre Américains et Français, qui ne masquent pas d'autres aspects de relations plus difficiles. Enfin, les traces laissées par la présence américaine dans l'Ouest, les grands monuments et les événements commémoratifs complètent le tableau proposé au lecteur.

La photographie est au cœur du présent ouvrage. Comme le rappelle Hilary Roberts, conservatrice à *l'Imperial War Museum*, la Première Guerre mondiale constitue un moment fécond et décisif dans l'histoire de la photographie. C'est le premier conflit à être photographié en détail par tous les belligérants, l'image devenant un instrument de documentation et de propagande. À l'époque du conflit, les photographes amateurs sont déjà nombreux. Dès 1888, George Eastman, inventeur talentueux et homme d'affaires avisé introduit sur le marché un appareil *Kodak* à pellicule, destiné aux amateurs. Les fabricants européens essaient de combiner la simplicité, la portabilité et la forme bien conçue de l'appareil américain, sans pouvoir le concurrencer. En 1914, le *Kodak* est déjà synonyme d'« instantané ». La fin du XIXe siècle peut donc être considérée comme une transition dans l'histoire de la photographie, cette dernière s'affirmant comme un média de masse. Lors de leur départ pour la guerre, des militaires, des marins, des aviateurs emportent avec eux un appareil photographique, dans l'espoir de capturer un moment exceptionnel ou un événement unique. Cependant, la hiérarchie militaire et les autorités politiques de la majorité des belligérants ont tendance à limiter la présence des photographes auprès des forces armées, dans les zones de guerre, et la censure s'affirme peu à peu.

Les années 1916-1918 constituent une période de développement de la professionnalisation de la photographie au sein des armées. Les nations belligérantes renforcent la photographie en tant qu'instrument de témoignage et de propagande. En France, depuis 1915, existent la section cinématographique de l'armée (SCA) et la section photographique de l'armée (SPA), qui fusionnent, en janvier 1917, au sein de la Section photographique et cinématographique de l'armée (SPCA), devenue, en août 1918, le service photographique et cinématographique de guerre (SPCG). Les photographes de l'armée française utilisent principalement des appareils à plaques de verre, lors de leurs reportages auprès des armées françaises ou alliées, dont les Américains. Quant aux forces armées américaines, elles disposent déjà de l'unité du *Signal Corps*, dont les photographes sont officiellement désignés pour couvrir toutes les opérations militaires avec un double objectif, la documentation et la propagande.

La priorité des Américains est de former des opérateurs très professionnels. Peu de pays peuvent rivaliser avec le haut niveau et le degré d'organisation des photographes américains. Eastman établit une école de photographie aérienne à Rochester jusqu'à la fin de la guerre. Ainsi, ces photographes américains peuvent produire jusqu'à 17 000 clichés par jour, durant les dernières batailles sur le front Ouest. Au début de la présence de l'*American Expeditionary Force (AEF)* en France, les Américains suivent l'approche française et britannique en matière d'utilisation de la photographie. Cependant, Pershing adopte une attitude beaucoup plus souple que les Français ou les Anglais envers les photographes professionnels civils. Avec sa permission, les photographes civils ont accès aux troupes américaines aux moments décisifs de la fin du conflit. Ces photographes professionnels produisent des milliers de clichés, souvent mis en scène ou censurés, qui évitent les photographies de morts au combat ou autres prises de vue démoralisantes. La représentation de la guerre est donc sélective et objet d'une autocensure permanente.

Le présent ouvrage associe photographies professionnelles et clichés d'amateurs. Il propose des photos provenant des collections publiques américaines, entre autres de la *National Archives and Records Administration* (NARA) à Washington, de la *Truman Library, du* Musée et Mémorial de Kansas City, de *l'US National Library of Medicine* (NLM), de *l'US Naval Reserve Force,* etc. Du côté français, les sources photographiques des organismes publics sont également nombreuses, comme en témoignent les clichés issus de l'ECPAD, du Service historique de la Défense de Brest, des Archives départementales du Finistère, d'Ille-et-Vilaine ou de Loire-Atlantique, des archives municipales de Rennes, de Saint-Nazaire ou encore de celles, municipales et communautaires de Brest. S'y ajoutent des documents photographiques de la BnF (Bibliothèque nationale de France) ou encore du Musée départemental breton de Quimper, de l'Écomusée de Saint-Nazaire, etc. Tout aussi dignes d'intérêt pour l'historien sont les photos des collections privées, comme celles des familles américaines, dont l'un des ascendants, soldat, sous-officier ou officier, également photographe amateur, a combattu ou séjourné en France, pendant la Grande Guerre et a ramené des clichés demeurés en possession de la famille. Ces documents photographiques ont été aimablement prêtés par les familles américaines Childs, Bowllan, Faulkner, Guion, Miller, Wheeler, Cooper, etc., contribuant ainsi à l'enrichissement de l'ouvrage. Au-delà des photographies, l'iconographie de l'ouvrage est complétée par d'autres documents, tels les extraits de presse, les affiches ou encore les peintures ou gravures d'artistes de l'Ouest. Ainsi les œuvres du Nantais Jean-Émile Laboureur (1877-1943), du Lamballais Mathurin Méheut (1882-1958), ou encore du Rennais Camille Godet (1879-1966), donnent leur représentation des Américains dans la Grande Guerre.

Gilbert NICOLAS,
avril 2017

Chapitre I

De la présence américaine avant 1917 à l'arrivée du corps expéditionnaire américain

Samuel Boche, Benoît Chabot, Roch Chéraud, Odette Guibert, Éric Joret, Jean-Marie Kowalski, Thierry Le Roy, Gilbert Nicolas, Chloé Pastourel, Ronan Richard, Claudia Sachet

Lorsqu'éclate la Première Guerre mondiale, rien ne permet d'imaginer un engagement massif des États-Unis dans le conflit. L'opinion publique, hostile à la guerre, les intérêts économiques américains, l'évolution des relations diplomatiques avec les pays européens, les capacités militaires des États-Unis et les missions confiées à leurs forces armées, tout concourt à repousser l'idée d'une intervention américaine directe. Pourtant, des initiatives individuelles autant que l'évolution du conflit contribuent à rendre inéluctable la déclaration de guerre du 6 avril 1917.

En 1914, l'opinion publique américaine est partagée, si l'on considère les sympathies éprouvées pour tel ou tel camp, mais une forme de consensus s'établit dans tous les milieux autour du refus de participer aux opérations. Une fois passée la stupeur du déclenchement de la guerre, personne n'envisage l'entrée du pays dans le conflit. L'Europe et ses problèmes paraissent assez lointains. L'invasion de la Belgique choque, mais plusieurs millions d'Américains sont d'origine allemande. Le rapprochement diplomatique entre Londres et Washington est réel depuis une vingtaine d'années, mais la Grande-Bretagne est toujours perçue comme une puissance coloniale, et la politique menée en Irlande suscite la réprobation dans un pays qui compte de nombreux descendants d'immigrés irlandais. Quant à la France, le souvenir de son rôle dans la Guerre d'Indépendance suscite une réelle sympathie, mais certains s'accommodent mal de son alliance avec une Russie tsariste, dont on apprécie peu l'autoritarisme et les persécutions menées contre une partie de la population.

Dans un pays jeune, dont plus du quart de la population est né à l'étranger ou né de parents étrangers, l'unité nationale semble fragile. Le Président Wilson double donc sa déclaration de neutralité du 4 août 1914 d'un appel aux Américains, le 19 août, dans lequel il résume la situation en quelques mots : « Les Américains sont originaires de nombreuses nations et principalement de celles qui sont aujourd'hui en guerre. Il est naturel et inévitable qu'il existe parmi eux la diversité la plus extrême de sympathies et de souhaits pour ce qui touche aux questions soulevées par ce conflit et à ses circonstances. » La neutralité américaine n'est pas seulement une position dictée par la ligne diplomatique tenue à Washington, elle est une nécessité pour éviter un morcellement de l'opinion publique, dont les fractures suivraient les lignes de front européennes.

Pourtant, certains citoyens américains n'attendent pas l'entrée en guerre de leur pays pour combattre aux côtés des Français et de leurs alliés. Les initiatives individuelles se multiplient, mais, pour l'essentiel, les Américains qui s'engagent combattent dans la Légion étrangère ou servent comme ambulanciers, tandis que quelques autres rejoignent l'aviation. Impossible cependant de parler d'un mouvement populaire de masse. En février 1916, moins de mille Américains sont partis combattre aux côtés des Français. Il en est de même après la déclaration de guerre, le nombre des engagements volontaires étant beaucoup plus faible qu'escompté. En revanche, la période qui précède l'engagement américain est marquée par le développement des initiatives philanthropiques de soutien humanitaire aux populations victimes des conséquences de la guerre. L'action humanitaire, fondée sur la générosité de donateurs privés et encouragée par les campagnes de lobbying menées outre-Atlantique par des personnalités françaises, devient alors un instrument de la diplomatie américaine. Les fondations Rockefeller ou Carnegie, la Croix-Rouge américaine n'attendent pas la déclaration de guerre pour engager leurs moyens financiers et humains dans le conflit.

Le tableau d'une nation basculant de la neutralité à la guerre sous l'effet de la décision prise par l'Allemagne de mener une guerre sous-marine à outrance doit être nuancé par ces manifestations de l'engagement américain. D'autre part, les premières années de la guerre créent un lien économique et financier transatlantique beaucoup plus fort avec les pays de l'Entente qu'avec ceux de l'Alliance. Dans les deux camps, on mesure le formidable réservoir de matières premières et de denrées alimentaires que représentent les États-Unis. Or, la Grande-Bretagne reste la plus grande puissance maritime et navale, et le blocus entrepris contre l'Allemagne fait son œuvre au fil du temps. Alors que le commerce avec l'Entente explose et qu'il se développe fortement avec les pays neutres, les échanges avec l'Alliance s'effondrent. Lorsque les Allemands décident de s'engager dans une guerre sous-marine à outrance, leur commerce avec les États-Unis est déjà fortement réduit. S'ils prennent alors le risque d'une rupture avec Washington, c'est qu'ils estiment que leurs sous-marins sont en mesure de couler 600 000 tonnes de navires marchands par mois. C'est à ce prix, estiment-ils, que les puissances de l'Entente manqueront des matières premières nécessaires à l'effort de guerre et seront, à leur tour, asphyxiées.

À partir du moment où les États-Unis entrent en guerre, les échanges transatlantiques s'accroissent à la faveur de l'acheminement des hommes et du matériel de l'armée américaine. L'effort logistique est ici considérable. Si les Français fournissent, en grandes quantités, les armes et les munitions dont la troupe a besoin, les Américains sont obligés de mettre sur pied une armée, de la transporter, de la débarquer dans les ports européens, de l'équiper, d'en assurer l'hébergement. C'est une projection de forces sans précédent qu'il leur faut organiser, alors que les conflits les plus importants menés par les Américains l'avaient été sur le sol de leur pays. Partout, il leur faut remettre à niveau les installations portuaires, construire des aires de stockage et d'hébergement, développer les capacités du réseau ferré, les télécommunications, installer des camps d'entraînement, des bases aériennes, se doter d'établissements de soins. Les investissements massifs qu'ils consentent alors à effectuer et la nécessité de protéger les convois transforment profondément les régions de l'ouest de la France, jusqu'alors éloignées des opérations.

Jean-Marie Kowalski

Créée en 1914, l'*American Ambulance Field Service (AAFS)* est une organisation caritative. Elle est composée de volontaires américains qui souhaitent servir comme conducteurs d'ambulances, contribuant, avec les unités sanitaires françaises, à l'évacuation des blessés vers les hôpitaux de campagne. En août 1916, à Dugny (Meuse), en Lorraine, des ambulanciers américains de la section U-5, après leur réveil sous la tente, posent pour les opérateurs de la Section photographique de l'armée. SPA 27 C 2632 © Pierre Machard/ECPAD/Défense. Gilbert Nicolas.

De la neutralité à l'engagement

La présence et le rôle des Américains d'août 1914 à avril 1917, si l'on excepte ses aspects diplomatiques, constitue un angle mort historiographique et iconographique. Pourtant, les Américains ne sont ni absents, ni inactifs durant ces trois années de neutralité.

Le 5 septembre 1914, Percival Dodge prend la direction du service des affaires austro-allemandes à l'ambassade américaine à Paris. Jusqu'en 1917, son service inspecte à plusieurs reprises les soixante dépôts, cantonnements et hôpitaux de prisonniers de guerre et d'internés civils installés en Bretagne, afin d'évaluer les conditions matérielles, sanitaires et morales de la captivité. Les Américains distribuent également, *intra muros*, des dons émanant des sociétés de la Croix-Rouge et communiquent les besoins des captifs à des organismes de secours comme l'*American Young Men's Christian Association*, qui leur fournit en retour quantité de livres, de jeux ou d'instruments de musique. Malgré les limites de leur action, les délégués américains contribuent à garantir aux prisonniers un minimum de bien-être avant de transmettre ce flambeau humaniste à la légation suisse, début 1917.

L'engagement américain prend parallèlement des formes plus individuelles. Dès l'automne 1914, des Américains s'engagent dans la Légion étrangère et certains rejoignent même l'infanterie française, en octobre 1915. L'engouement reste cependant limité, faute d'une véritable incitation de la part des autorités françaises qui ne recensent, en février 1916, que 900 engagés américains, dont 70 aviateurs. Après Raoul Lufbery, qui sert déjà à l'escadrille MS 23, William Thaw, Jimmy Bach et Bert Hall rejoignent les écoles d'aviation, en décembre 1914. Thaw est le premier pilote au combat, en mars 1915. À la fin de l'année, dix-sept Américains sont en escadrilles. Le 18 avril 1916, ces volontaires sont réunis au sein de l'escadrille américaine N 124 placée sous les ordres du capitaine français Georges Thénault. Dès le 18 mai, le sergent Rockwell obtient la première victoire avant que ne débute, le 30 juillet, la série de succès du sergent Lufbery. La presse s'empare alors du sujet. Toutefois, le gouvernement américain, attaqué sur sa neutralité par les Allemands, est gêné par la dénomination de l'unité qui devient l'escadrille La Fayette, en décembre 1916. Tous les volontaires américains ne servent pas au sein de l'escadrille *La Fayette*. Le sergent Eugène Bullard, premier pilote de chasse afro-américain, vole à la SPA 93 puis à la SPA 85. On peut encore citer le lieutenant Thomas G. Cassady, qui sert à la SPA 163 et obtient cinq victoires, en 1918.

La guerre suscite enfin un regain de l'engagement philanthropique, alimenté par de nombreuses tournées de lobbying de personnalités françaises aux États-Unis. Cet engagement devient massif et touche toutes les couches de la société américaine. L'effort humanitaire est si intense que le don devient partie intégrante de l'américanité. Les États-Unis s'imposent comme une « *véritable matrice institutionnelle du don* », utilisant la philanthropie comme outil diplomatique. La France est alors l'un des pays privilégiés par les grandes fondations (Rockefeller, Carnegie, *American Red Cross*), qui se mobilisent dès le début du conflit, en dépit de la neutralité américaine. Les actions philanthropiques des organismes gouvernementaux et non gouvernementaux américains s'organisent et se mettent en place sur l'ensemble du territoire français. Les bénévoles de l'*American Red Cross* parcourent le pays afin de sensibiliser et de former le personnel hospitalier aux nouvelles méthodes de puériculture et de lutte contre la mortalité infantile. Les hospices civils de Rennes bénéficient ainsi d'un programme de financement pour développer ces nouveaux protocoles. Toutes ces actions ne peuvent se réaliser sans l'implication de bénévoles américains, telle l'infirmière Mina Gladys Reid.

Ronan Richard et Chloé Pastourel

Né en France, en 1885, d'un père américain et d'une mère française, Raoul Lufbery renonce à sa nationalité française pour échapper au service militaire. Il part aux États-Unis et s'engage dans l'armée. Libéré en 1911, Lufbery entre dans la Légion étrangère et est affecté à l'escadrille MS 23, puis, en mai 1916, rejoint les volontaires américains de l'escadrille N 124. Il accumule les victoires, ce qui lui vaut le titre d'« as » et sa nomination comme officier, en juin 1917. Sur le cliché, le sous-lieutenant Lufbery pose devant son Spad S.VII, portant la Légion d'honneur, la Médaille militaire et la Croix de guerre avec palmes. En février 1918, il intègre l'aviation américaine, avec le grade de *major* (commandant). Il meurt au combat, le 19 mai 1918, à Maron (Meurthe-et-Moselle). *Library of Congress*. Gilbert Nicolas.

American Embassy, Paris.
seated; (left to right): John ① Work Garrett, Minister-(German-Austrian civilians); H. ③ Percival Dodge, Minister-(
Division); Hon. ② William G. Sharp, Ambassador; John ④ G. Coolidge, Minister-(Turkish Division).
standing: John C. Wiley, 3rd Secy. R.W.B.-counselor; Henry Reginald Carey, 2nd Secy. Col. Spencer Cosby, Military
Lieut. Stuart Y. Smith, Asst. Naval Attaché; Lee Meriwether, Assistant; C. D. Veditz, Commercial Attaché; Cap
Boyd, Asst. Military Attaché; George Sharp, Private Secretary; Commander William Sayles, Naval
Benjamin Thaw, Jr. 3rd Secy; Arthur Hugh Frazier, 1st Secy.

Dès le mois de septembre 1914, l'ambassadeur Myron T. Herrick s'implique dans la défense des intérêts austro-allemands en France avant de passer le relais à William Sharp, le 1er décembre. Sur ce cliché, issu de l'album photographique du chargé d'affaires Robert Wood Bliss, l'ambassadeur (assis, 2e à partir de la gauche) pose aux côtés de ses principaux collaborateurs, en 1915. Bien que fervent partisan de l'amitié franco-américaine, il se montre plus intransigeant que son prédécesseur sur la neutralité américaine. Le major Percival Dodge (assis à la gauche de l'ambassadeur), chef de la *Divison of Austro-Hungarian and German Affairs* et ses assistants, dont Lee Meriwether (debout juste derrière l'ambassadeur), effectuent des dizaines de visites de dépôts de prisonniers en Bretagne, *Harvard University Archives*, *HUGFP 76.74 Box 4*. Ronan Richard.

Bien qu'abritant jusqu'à 2 300 prisonniers de guerre en 1915, le camp de Coëtquidan n'est visité qu'à trois reprises par les délégués américains, entre 1914 et 1917. Les captifs austro-allemands y voisinent bientôt avec des Américains. Malgré l'installation de l'armée américaine, le camp de prisonniers est en effet maintenu sur cinq hectares de landes et compte encore quelque 400 captifs à la fin de la guerre. SPA 18 Z 1625 © Schroeder/ECPAD/Défense. Ronan Richard.

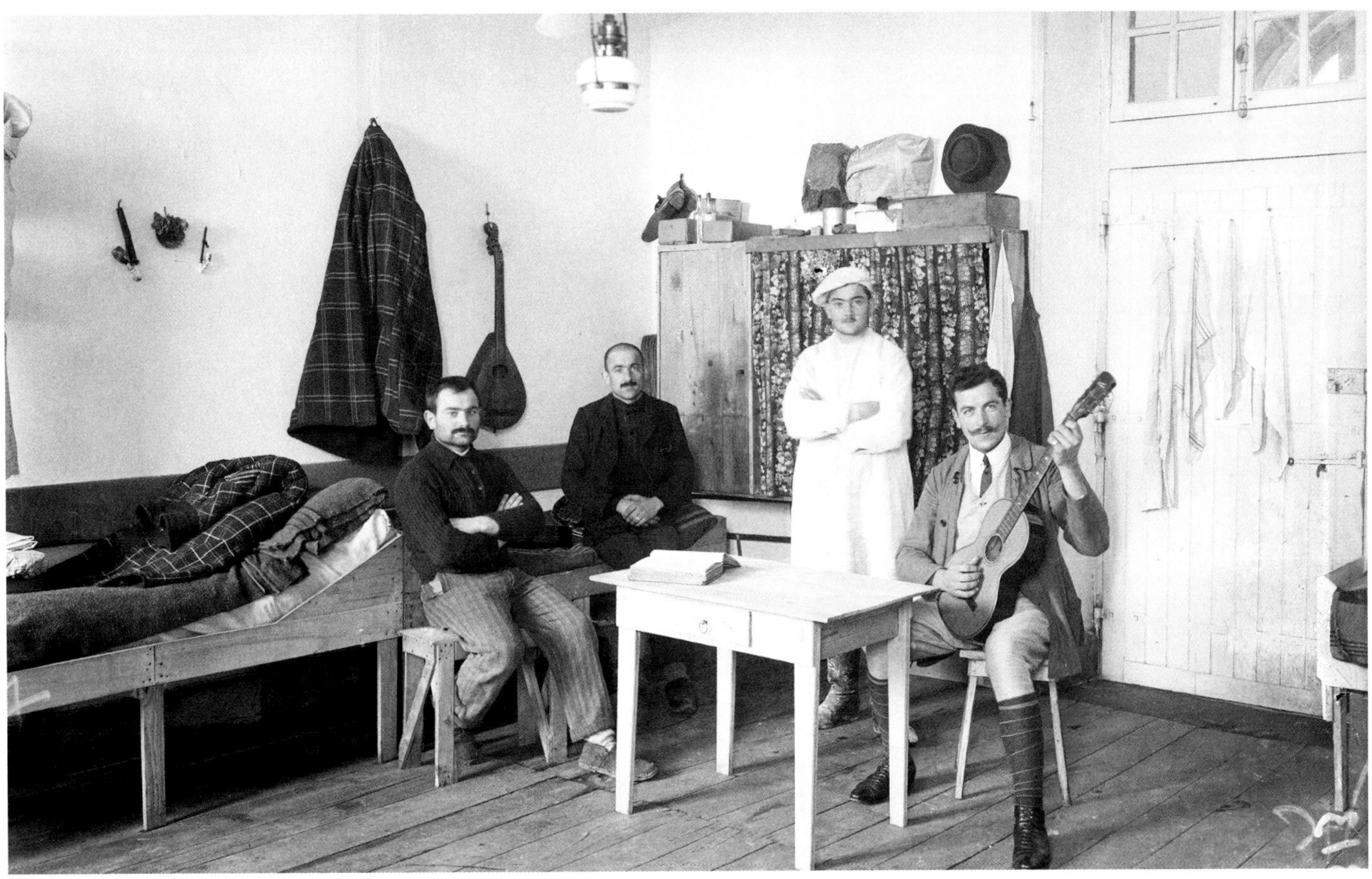

Lors de leurs visites au camp d'internés civils de Guérande, échelonnées entre janvier 1915 et novembre 1916, les délégués américains y constatent le rôle bénéfique des organismes de secours américains comme la *American Young Men's Christian Association*. Soucieuse d'y introduire un peu de bien-être, cette association collabore avec l'ambassade américaine et fournit notamment des instruments de musique aux prisonniers. Elle les dote aussi de bibliothèques, salles de classes ou équipements de loisirs. SPA 10 D 1313 © Édouard Brissy/ECPAD/Défense. Ronan Richard.

Malgré leur devoir de neutralité, les délégués américains affichent parfois une partialité teintée de francophilie. En visite dans l'Ouest, Lee Meriwether, assistant à la *Division of Austro-Hungarian and German Affairs*, refuse d'entendre les plaintes sur le défaut de chauffage, estimant que celui-ci lui manquait même « dans les meilleurs hôtels parisiens » et qu'il serait « illogique que des prisonniers réclament, pour obtenir ce que l'ambassadeur même d'une grande République comme les États-Unis ne peut se procurer ». Les visites d'inspection américaines provoquent donc souvent l'amertume des internés, comme ceux de l'usine textile du Jouguet (Côtes-du-Nord), photographiés ici dans le dortoir principal par Édouard Brissy, le 3 mars 1916. Dans son journal, l'interné Hugo Ringer relate ainsi de manière lapidaire la visite américaine : « Après un séjour d'environ deux heures au camp, ces messieurs repartirent, nous laissant comme consolation l'affirmation que nous étions détenus ici comme dans un château. » SPA 17 D 1636 © Édouard Brissy/ECPAD/Défense. Ronan Richard.

Le 14 mai 1916, sur la base de Luxeuil-les-Bains, les pilotes américains de l'escadrille N 124, future escadrille La Fayette (décembre 1916), sont réunis auteur du capitaine Georges Thénault (2e à partir de la gauche, en uniforme clair), commandant de l'unité. Plus à droite, en uniforme et calot sombres, le lieutenant de Laage de Meux, commandant en second et, à sa gauche, le sergent américain, Elliott Christopher Cowdin (1886-1933), fils d'industriel américain, ancien étudiant d'Harvard, qui sert dans *l'American Ambulance Service* (novembre 1914), avant de s'engager dans la Légion étrangère, afin de pouvoir combattre au sein de l'aviation française. SPA 20 P 247 © Gabriel Boussuge/ECPAD/Défense. Gilbert Nicolas.

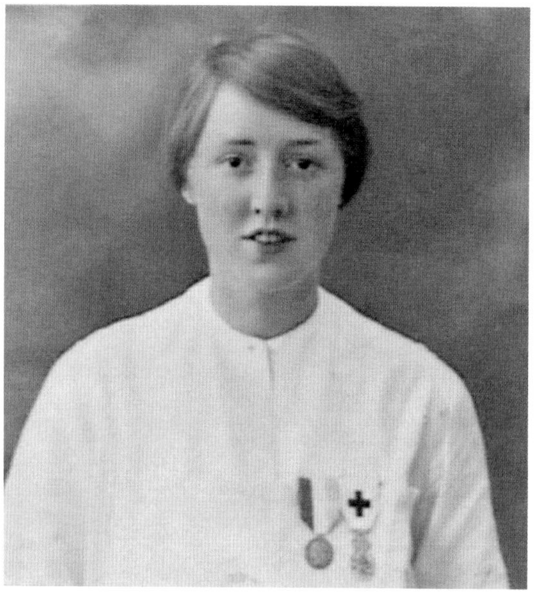

Au moment de l'entrée en guerre, quelque 7 000 ressortissants américains résident en France. Nombre d'entre eux offrent leurs services à la France. C'est le cas de Mina Gladys Reid, jeune américaine de la côte Est, installée à Dinard depuis mai 1914. Infirmière bénévole à l'hôpital complémentaire n° 28, elle y rencontre un autre volontaire américain, l'ambulancier Virgil A. Lewis. Ils se marient aux États-Unis, en 1917. Sur ce cliché, Mina Gladys arbore fièrement la médaille de la Croix-Rouge, ainsi que sa médaille d'honneur des Épidémies, remise en novembre 1916. Archives départementales d'Ille-et-Vilaine. Ronan Richard et Claudia Sachet.

Dès le début de la guerre, l'ambassadeur Myron T. Herrick s'efforce de rationaliser la gestion des dons américains. Il suscite ainsi la création d'un organisme central, l'*American Relief Clearing House*. En collaboration avec d'autres organismes, comme la Croix-Rouge, le *La Fayette Fund*, le *Fatherless Childrens of France* ou l'*American Fund for French Wounded*, il permet d'acheminer les colis vers des centres de distribution comme ici, à Dinard, à l'automne 1915, où dons américains, français ou anglais sont centralisés sous la houlette de Kawara Kitchener, la fille de Lord Kitchener. *Harvard University Archives*. Ronan Richard.

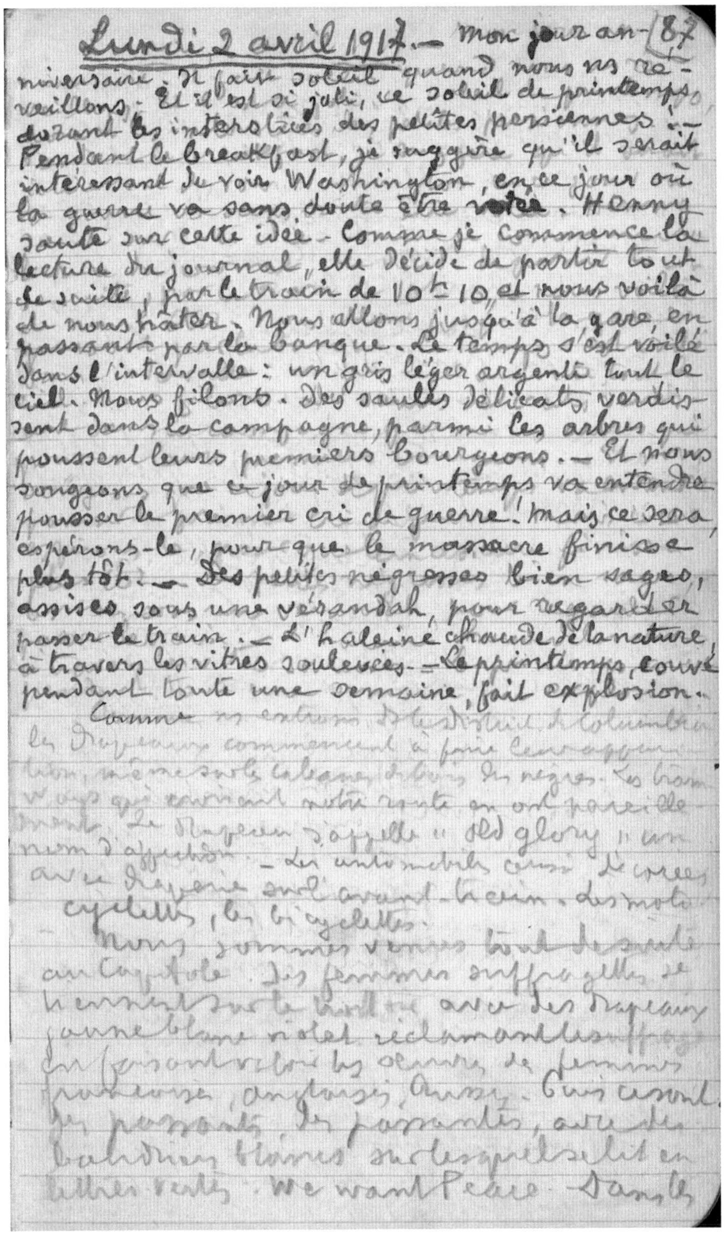

Lundi 2 avril 1917. — mon jour an- 87
niversaire. Il fait soleil quand nous nous ré-
veillons. Et il est si joli, ce soleil de printemps,
dorant les interstices des petites persiennes. —
Pendant le breakfast, je suggère qu'il serait
intéressant de voir Washington, en ce jour où
la guerre va sans doute être votée. Henny
saute sur cette idée. Comme je commence la
lecture du journal, elle décide de partir tout
de suite, par le train de 10h 10, et nous voilà
de nous hâter. Nous allons jusqu'à la gare, en
passant par la banque. Le temps s'est voilé
dans l'intervalle : un gris léger argente tout le
ciel. Nous filons. Des saules délicats verdis-
sent dans la campagne, parmi les arbres qui
poussent leurs premiers bourgeons. — Et nous
songeons que ce jour de printemps va entendre
pousser le premier cri de guerre ! Mais ce sera,
espérons-le, pour que le massacre finisse
plus tôt. — Des petites négresses bien sages,
assises sous une véranda, pour regarder
passer le train. — L'haleine chaude de la nature
à travers les vitres soulevées. — Le printemps, couvé
pendant toute une semaine, fait explosion.
[illegible]

Anatole Le Braz (1859-1926), auteur de *La Légende de la Mort*, professeur à la faculté de lettres de Rennes, effectue treize voyages aux États-Unis entre 1906 et 1924, dont trois entre janvier 1915 et août 1918, au cours desquels il donne de nombreuses conférences avec l'Alliance française. Il est même chargé d'enseigner le français aux élèves officiers du 1er régiment d'infanterie du Tennessee, à Nashville. Le 2 avril 1917, jour de son anniversaire, il se rend à Washington avec Henny, son épouse américaine, pour écouter le discours du président Wilson devant le Congrès, réuni avant le vote de la déclaration de guerre. CRBC-UBO-Brest. Claudia Sachet.

Alan Seeger, jeune étudiant américain de 28 ans, rejoint l'armée française en 1914. Il n'imagine pas que son engagement au service de la France va lui coûter la vie, le 4 juillet 1916, dans la Somme et qu'il va servir de modèle au sculpteur breton, Jean Boucher, pour la réalisation de la statue du jeune volontaire, sur la place des États-Unis, à Paris. La presse américaine rapporte que 40 000 citoyens des États-Unis s'engagent dans les armées de l'Entente. André Kaspi évalue à environ 1 000 ceux qui rejoignent la Légion étrangère, *the Foreign Legion*, seule unité française susceptible de les accueillir, leur pays n'étant pas encore officiellement en guerre avec l'Allemagne. La presse américaine annonce la mort prématurée d'Alan Seeger, *« student, poet and soldier de la Légion »*, auteur du fameux poème, *Rendez-vous avec la mort* :

I have a rendez-vous with Death
On some scarred slope of battered hill
When Spring comes round again this year
And the first meadow-flower appear.

J'ai un rendez-vous avec la Mort
Sur quelque pente d'une colline battue par les balles
Quand le printemps reparaît cette année
Et qu'apparaissent les premières fleurs des prairies.

Division Histoire et Patrimoine de la Légion étrangère. Éric Joret.

Face à la menace sous-marine allemande, une base de dirigeables est établie à Paimbœuf, en mars 1917. Les premiers Américains arrivent, le 11 novembre 1917, sur ce site qui leur est définitivement cédé, le 20 mars 1918. Une grande parade a lieu dans les rues de Paimbœuf, ponctuée d'une aubade sous les halles de la place du marché. La *NAS (Naval Air Station)* de Paimbœuf étant préférée à Rochefort, elle est agrandie et demeure la seule base américaine pour ballons dirigeables en France. Entre les deux grands hangars, on observe le gazomètre et l'usine à hydrogène. En novembre 1918, les trois ballons de la *Station* sont mis en œuvre par 25 officiers et 308 marins. Archives départementales de Loire-Atlantique. Roch Chéraud et Thierry Le Roy.

Choix des sites et logistique

L'entrée en guerre officielle des États-Unis, le 6 avril 1917, marque le début d'une gigantesque projection de forces. Les défis sont alors multiples. Les Américains n'ont encore jamais conduit une opération d'une telle ampleur. Ils ne disposent pas des moyens suffisants pour la mener et les ports européens sont déjà surchargés du trafic généré par la guerre, irriguant des économies à bout de souffle. Il leur faut donc identifier en France et au Royaume-Uni des ports susceptibles d'accueillir un grand nombre d'hommes, ainsi que les matériels nécessaires pour les équiper. Ces ports doivent également être en mesure de les acheminer aisément par voie ferrée vers le front. D'un point de vue opérationnel, la principale menace qui pèse sur les navires de transport de troupes est celle des sous-marins allemands. L'accueil d'un corps expéditionnaire arrivé par voie maritime n'est pas une nouveauté dans ce conflit. Si les Britanniques sont arrivés par les ports de la Manche, troupes coloniales, Portugais et Russes, en particulier, ont débarqué en France par les ports des façades, atlantique et méditerranéenne.

À l'annonce de l'entrée en guerre des États-Unis, une véritable compétition s'engage entre les ports pour accueillir l'augmentation du trafic. La chambre de commerce et d'industrie de Saint-Nazaire, présidée par Louis Brichaux, industriel et importateur de charbon, mène une campagne efficace aux côtés du maire de Nantes, Paul Bellamy, pour s'attirer la bienveillance des Américains. Cette campagne contribue sans doute au choix de Saint-Nazaire, qui reçoit les premiers convois. Malgré cela et en dépit de pressions britanniques, le port de Brest est choisi, en novembre 1917, pour accueillir une quantité importante de troupes. Les infrastructures du port de commerce sont alors sous-dimensionnées, les approvisionnements en eau douce et en charbon difficiles, les capacités ferroviaires insuffisantes, mais Brest dispose d'atouts naturels majeurs. Placé à la pointe de la Bretagne, ce port permet aux navires qui y font relâche de faire de précieuses économies de carburant. Sa rade fournit surtout un abri naturel exceptionnel, qui permet d'accueillir dans de bonnes conditions de sécurité les grands navires que leur taille démesurée empêche de s'amarrer à quai. À la fin de l'année 1917, se met ainsi en place une répartition des rôles, qui confie à Saint-Nazaire l'essentiel du trafic de marchandises, et à Brest l'essentiel du transit des hommes arrivant en France. Bordeaux joue ensuite un rôle majeur, suivi par Nantes, La Pallice, Rochefort, Marseille ou encore Rouen qui participent, eux aussi, dans des proportions significatives, à ces échanges. À vrai dire, rares sont les ports qui ne sont pas mis à contribution. On retiendra pourtant que Saint-Nazaire est le premier d'entre eux et que Brest est, de beaucoup, le principal pour accueillir les soldats mais aussi, plus tard, pour permettre leur retour aux États-Unis.

L'arrivée de convois génère une série de difficultés. En effet, troupes et matériels n'arrivent pas en flux continu, mais par à-coups, provoquant – avec un très faible préavis nécessaire pour conserver le secret des opérations – des hausses brutales d'activité et des phénomènes d'engorgement du trafic qu'il convient de réguler. C'est une force mixte, la *Cruiser and Transport Force*, qui assure le transport, faite de navires de guerre et de commerce, ces derniers recevant un armement d'autodéfense. La flotte logistique américaine étant presque inexistante avant l'entrée en guerre des États-Unis, bon nombre de ces bâtiments de transport sont d'anciens navires allemands ou autrichiens, ayant fait l'objet de saisies dans les ports d'Amérique du Nord, du Sud, mais aussi du Pacifique ou d'Extrême-Orient. Organiser l'arrivée de ces forces oblige les Américains à effectuer d'importants préparatifs dans les ports choisis, qui sont prêts, au printemps 1918, à accueillir l'afflux massif de troupes.

Face à la menace que font peser les sous-marins et les mines, les Américains apprennent auprès des Français l'usage qui peut être fait de l'aéronautique navale. Stations de dirigeables et de ballons captifs, bases d'hydravions et terrains d'aviation jalonnent ainsi les côtes françaises pour être en mesure de prendre en charge les convois suffisamment tôt, afin de garantir leur sécurité.

Afin d'assurer le traitement des personnels tombés malades au cours de la traversée, mais aussi de préparer ultérieurement le rapatriement des soldats blessés au combat, de nombreux hôpitaux sont établis partout en Bretagne. En dehors des grandes villes, Landivisiau, Landerneau, Meucon, Morgat, Le Croisic, Kerhuon, Coëtquidan, Carnac, Auray, La Baule, Saint-Servan, Plouharnel, Rochefort-en-Terre, Sainte-Marguerite… accueillent des établissements sanitaires de tailles variables, qui s'installent dans des bâtiments existants ou dans des baraques construites pour l'occasion. L'emplacement favorable de Savenay et son école normale d'instituteurs, qui accueille depuis 1914 un hôpital militaire français, font que cette commune devient rapidement le siège d'un immense hôpital militaire américain. C'est donc sur l'ensemble du territoire que sont choisis, à partir de 1917, les sites qui permettent d'organiser l'arrivée en masse de troupes américaines, devenue réalité à partir du printemps 1918.

Jean-Marie Kowalski

Grâce aux efforts énergiques des maires de Saint-Nazaire et de Nantes, Louis Brichaux et Paul Bellamy, la candidature commune de leurs villes au statut de base américaine trouve écho auprès de plusieurs personnalités américaines telle que Charles W. Veditz, attaché commercial à l'ambassade américaine de Paris (à droite sur la photo). Celui-ci pilote la venue à Nantes et Saint-Nazaire d'une délégation américaine, du 18 au 20 mai 1917. Celle-ci compte plusieurs attachés commerciaux et William C. Redfield, premier Secrétaire du Commerce des États-Unis (au centre), ainsi que des journalistes, lesquels se montrent très intéressés par les équipements et le dynamisme économique des deux ports. *Library of Congress*. Benoît Chabot.

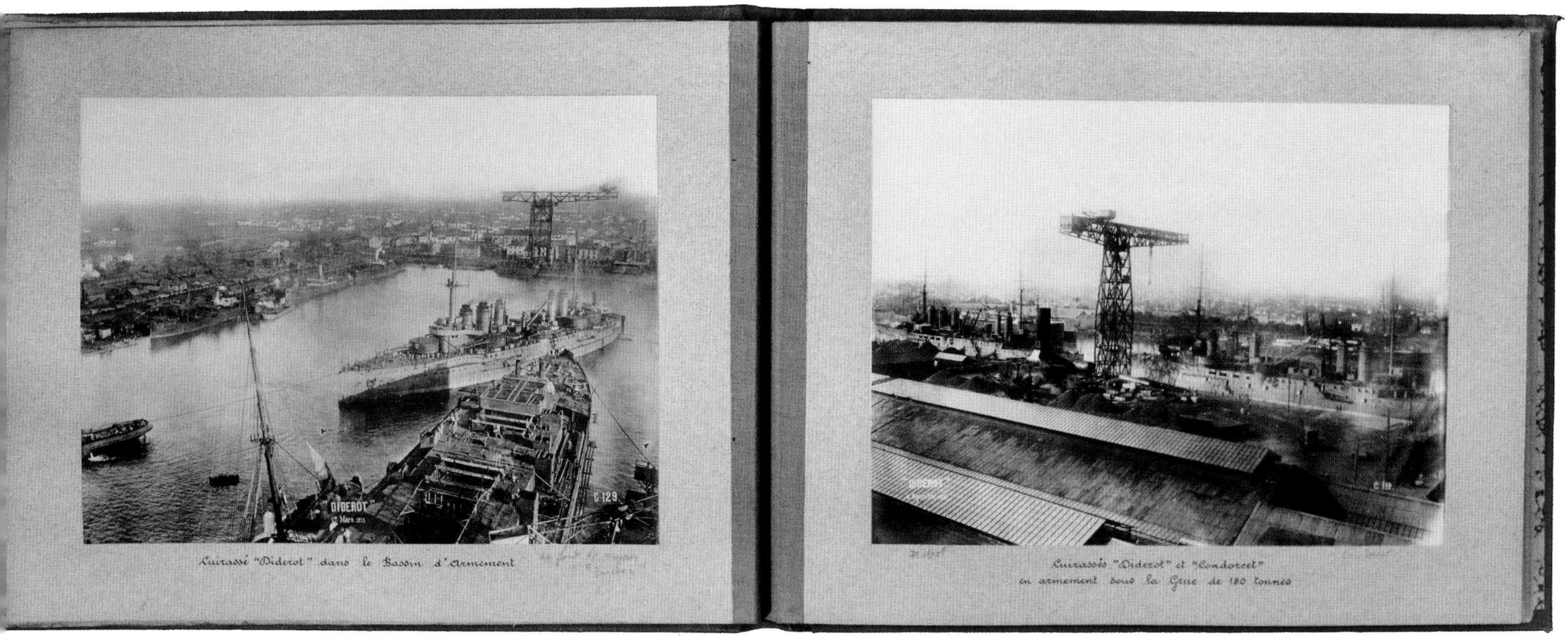

Cuirassé "Diderot" dans le Bassin d'Armement
Cuirassés "Diderot" et "Condorcet"
en armement sous la Grue de 180 tonnes

Lors de leur visite à Saint-Nazaire, les membres de la délégation américaine reçoivent des mains de Louis Brichaux plusieurs documents réalisés par la Chambre de commerce, qui vantent, photos à l'appui, les nombreux atouts du port : importantes capacités portuaires, outillage moderne et en nombre suffisant, évacuation rapide des marchandises, grâce à deux lignes ferroviaires à double voie. Nombre de ces arguments sont repris, au mois de juin 1917, par plusieurs journaux américains dans des articles pro-ligériens. Ils soulignent aussi bien les attraits économiques que militaires des deux ports. Saint-Nazaire et Nantes, en raison de leur vocation commerciale, sont avant tout perçus comme d'importantes bases de déchargement de matériels, tandis que le port de Brest est vu comme une base de débarquement des troupes. Extrait de l'album réalisé par la Chambre de commerce de Saint-Nazaire et remis aux représentants de la presse américaine. Archives municipales de Saint-Nazaire. Benoît Chabot.

La présence de l'amiral Gleaves (à droite) aux côtés du général Pershing (à gauche) après l'arrivée du premier convoi à Saint-Nazaire illustre l'importance prise par les capacités logistiques lors de l'entrée en guerre des États-Unis. Les premiers éléments du convoi, parti le 17 juin 1917 de New York, arrivent à Saint-Nazaire, le 26 juin. Les capacités de transport américaines s'organisent en une force mixte, la *Cruiser and Transport Force*, dont le commandement est confié à l'amiral Gleaves. SPA 1 AD 66 © Daniau/ECPAD/Défense. Jean-Marie Kowalski.

Les transports *Pastores*, *Tenadores*, *Saratoga* et *Havana* (ici représenté) arrivent à Saint-Nazaire le 26 juin 1917, accompagnés d'une escorte militaire. Les États-Unis ne disposent pas, au moment où ils entrent en guerre, d'une flotte logistique suffisante pour assurer le transport de leurs troupes et de leurs matériels en Europe. Les navires civils sous pavillon allemand, mais aussi austro-hongrois, sont saisis en grand nombre. Certains navires, tel le *Vaterland* allemand, rebaptisé *Leviathan,* en septembre 1917 (transport de quelque 10 000 hommes en plus de l'équipage lors de ses trajets en direction de Brest), deviennent emblématiques des transports de troupes acheminant les soldats Américains et exigent, du fait de leur gigantisme, des capacités portuaires hors normes. SPA 1 AD 6 © Daniau/ECPAD/Défense. Jean-Marie Kowalski.

L'acheminement des hommes et du matériel américains vient s'ajouter au trafic de ports déjà sollicités par l'effort de guerre. Les infrastructures portuaires doivent, quant à elles, souvent être remises à niveau par les Américains : installation de grues, construction de voies routières, de hangars, de zones de stockage. Cet afflux de marchandises suscite par ailleurs des convoitises et les tentatives de vols sont fréquentes, ce qui oblige à mettre en place une surveillance resserrée des sites de débarquement, comme ici à Nantes, où des soldats américains en armes surveillent les opérations de manutention, en présence d'un militaire français. *National Archives and Records Administration (NARA)*. Jean-Marie Kowalski.

Des rencontres entre les autorités américaines et françaises ont lieu lors de l'entrée en guerre des États-Unis pour déterminer les lieux de débarquement, d'implantation des troupes et des hôpitaux. Le maire de Savenay, François Texier, expose alors des arguments déterminants ; Savenay est en liaison directe par le train et la route avec Saint-Nazaire, Nantes, Paris ou Brest. Un établissement neuf (l'école normale d'instituteurs) pourvu du confort moderne : service d'eau, douches, électricité et téléphone, accueille, depuis 1914, un hôpital militaire français de trois cents lits. De vastes espaces peuvent être utilisés pour des implantations complémentaires. *Courtesy US National Library of Medicine*. Odette Guibert.

Les infrastructures portuaires brestoises sont largement inadaptées à l'accueil de transports de troupes en 1917. Elles sont de plus déjà fortement sollicitées. Les seules installations confiées entièrement aux Américains, à la fin de l'année 1917, sont les quais n°s 3 et 5 (à droite en épi), qui ne peuvent accueillir que des bateaux d'un tirant d'eau inférieur à 7 mètres 60. Ce tirant d'eau reste insuffisant pour accueillir les plus grands navires qui doivent rester sur rade. Les quais sont partiellement occupés par des installations commerciales et industrielles françaises, qui sont progressivement supprimées, et les Américains prennent possession du quai n° 6 (à droite), en septembre 1918, avant de continuer à étendre leurs infrastructures vers l'Est. Les unités du génie s'emploient à améliorer des infrastructures insuffisantes pour faire face à l'afflux massif de troupes. Archives municipales et communautaires de Brest. Jean-Marie Kowalski.

Les difficultés liées aux capacités insuffisantes des quais de Brest sont accrues par le marnage important. Pourtant, la mission d'inspection qui se rend sur place, début novembre 1917, note les avantages de la rade, bien protégée face aux intempéries et à la menace sous-marine. Les grands navires de transport de troupes peuvent ainsi mouiller en lieu sûr, tandis que de nombreuses barges sont utilisées pour assurer le transfert des troupes à terre. L'opération nécessite de nombreux ajustements, mais le rythme du débarquement de soldats ne cesse de croître, à mesure que s'améliore l'organisation américaine. Archives municipales et communautaires de Brest. Jean-Marie Kowalski.

Les ports choisis pour l'arrivée des convois doivent être en mesure d'assurer le ravitaillement en charbon des navires. Aux difficultés d'approvisionnement s'ajoutent, à Brest, celles que génère l'impossibilité de charger le charbon depuis les quais. Les dimensions des grands navires de transport de passagers qui amènent les troupes ne leur permettant pas d'accoster dans le port. Ils sont obligés de compléter leurs soutes à charbon au moyen de barges acheminant le combustible sur rade. Sept d'entre elles seulement sont disponibles en novembre 1917. Leur nombre passe à cinquante-quatre, un an plus tard. Chaque escale devient dès lors une véritable course contre la montre, tant les besoins sont importants. Face aux besoins du gigantesque *Leviathan*, une performance remarquable est réalisée lors de son escale, fin juin 1918, avec 1 440 tonnes de marchandises et 10 388 hommes débarqués en vingt-neuf heures et trente minutes, et 4 550 tonnes de charbon chargées. Au fil du conflit, des gains de productivité considérables sont réalisés dans les ports français pour permettre le débarquement de l'aide américaine. Archives municipales et communautaires de Brest. Jean-Marie Kowalski.

Choisi pour y faire débarquer des troupes, le port de Brest est, après l'armistice, le principal port de rembarquement. Pour satisfaire les besoins logistiques liés notamment au gigantisme de navires tels que le *Leviathan*, les Américains doivent effectuer d'importants travaux d'aménagement portuaire. En novembre 1917, tout manque pour débarquer les hommes massés ici sur les ponts, ainsi que leurs équipements : quais assez larges pour les véhicules, faisceaux de voies ferrées nécessaires à l'acheminement des troupes, logements temporaires, grues, entrepôts. Le développement de ces installations est le résultat des investissements importants, consentis pour mettre à niveau les infrastructures. Archives municipales et communautaires de Brest. Jean-Marie Kowalski.

Du nouveau monde au vieux continent La Fayette, nous voilà !

La perte du *RMS (Royal Mail Ship) Lusitania*, torpillé par un sous-marin allemand, le 7 mai 1915, bouleverse durablement l'opinion américaine. Le *U-Boot*, mésestimé jusque-là, se révèle être une arme particulièrement meurtrière, qui inspire autant la colère que la crainte au sein de l'opinion.

La reprise de la guerre sous-marine à outrance, en janvier 1917, focalise l'attention de la presse américaine qui s'inquiète de possibles attaques contre les villes côtières. Chaque semaine les journaux égrènent les pertes de navires marchands. Bon nombre d'armateurs interrompent le trafic entre les deux continents. L'amirauté américaine riposte alors le 12 mars en lançant l'ordre officiel d'armer tous les navires marchands, mais plusieurs torpillages se produisent dans les jours qui suivent : le *Vigilancia*, l'*Illinois* et le *City of Memphis* sont coulés, respectivement, les 16, 17 et 18 mars, au large des côtes anglaises. Bien que les États-Unis restent officiellement dans une neutralité armée, ils se rapprochent de l'état de guerre avec l'Allemagne. Une véritable psychose s'empare de la population, exacerbée par plusieurs événements persuadant l'opinion américaine de l'existence au Mexique d'une base sous-marine allemande. La presse rapporte ainsi le repérage de ce qu'elle croit être des *U-Boote,* au large de Montauk Point (22 mars), de Sarasota, de Newport (7 avril), de San Diego (20 mai) ou de Portland (22 mai). L'accrochage du destroyer *USS Smith* avec un *U-Boot*, le 17 avril 1917, à moins de 100 miles de New York, renforce ce sentiment d'insécurité.

C'est dans ce contexte de menace permanente que les premières troupes américaines embarquent secrètement pour le front européen. Les hommes du *1st Aeronautical Detachment* ouvrent la voie. Ils embarquent le 25 mai et arrivent à Pauillac et Saint-Nazaire, les 5 et 8 juin 1917. Ils sont suivis du général Pershing et de son état-major qui s'embarquent le 28 mai à destination de Liverpool, où ils accostent le 9 juin. L'arrivée de Pershing focalise alors l'attention des journalistes, ce qui permet aux premiers convois de l'*AEF* (*American Expeditionary Force*) de partir discrètement dans la journée du 14 juin 1917.

Malgré la censure et les fausses rumeurs circulant autour de la destination des navires, plusieurs *U-Boote* croisent la route de cette armada. Le 22 juin, l'*USS De Kalb* et le *SS Havana* du Groupe I sont attaqués au large du littoral irlandais. Le 26 juin, c'est au tour des navires du Groupe II de subir une attaque, à 100 miles à peine des côtes françaises. Le 28 juin, le Groupe IV essuie lui aussi plusieurs tirs de torpilles. En dépit de ces affrontements, les convois arrivent sains et saufs à destination.

Le 26 juin 1917, le *SS Tenadores* est le premier à s'amarrer aux quais de Saint-Nazaire, sous les regards de quelques badauds. Le lendemain c'est au tour du *SS Antilles* et des navires du Groupe II d'accoster, puis à ceux du Groupe III, le 28 juin. Enfin, les derniers transports de troupes entrent dans le port les 1er et 2 juillet 1917. Entre juin et décembre 1917, les convois se multiplient et près de 200000 hommes traversent l'océan pour combattre, transporter ou préparer l'arrivée des troupes combattantes. La traversée des navires se fait dans les mêmes conditions, mais plusieurs pertes sont à déplorer : l'*USS Cassin* (15 octobre), le *SS Antilles* (17 octobre), l'*USS Finland* (28 octobre), l'*USS Alcedo* (5 novembre) ou encore l'*USS Jacob Jones* et l'*USS Santee* (6 et 27 décembre)...

Parmi ces convois, le groupe constitué des transporteurs *Agamemnon*, *America, Mount Vernon* et *Von Steuben*, escortés du croiseur *USS North Carolina* et des destroyers *USS Terry* et *USS Duncan*, parti du port d'Hoboken, le 31 octobre, arrive sans encombre dans la rade de Brest, le 12 novembre 1917, avec plus de 12000 hommes à son bord. De ces navires débarquent les premiers soldats américains de ce qui devient par la suite la plus grande base de réception et de transit des troupes combattantes de l'*AEF* sur le sol français.

Entre mai 1917 et novembre 1918, une armée de plus de 2000000 d'hommes et femmes franchit l'Atlantique pour rejoindre l'Europe. Bon nombre de ces Américains débarquent dans les bases de Brest et de Nantes-Saint-Nazaire. En l'espace d'une année, 800000 hommes passent par Brest, tandis que 2500000 tonnes de matériel transitent par le port de Saint-Nazaire et 800000 par le port de Nantes, entre 1917 et 1919. L'arrivée de cette importante armada bouleverse la physionomie des deux ports bretons.

Benoît Chabot

À Saint-Nazaire, le 26 juin 1917, *Campaign Hat* à bosses sur la tête, le général William Luther Sibert (1860-1935), commandant la 1re DIUS (Première division d'infanterie américaine), surnommée *Big Red One*, est accueilli, avec ses officiers, par les autorités militaires françaises. SPA 1 AD 26 © Daniau/ECPAD/Défense. Gilbert Nicolas.

En ce début d'année 1917, le mécontentement croissant de la population et d'une partie de la classe politique allemande décide le *Kaiser* Guillaume II à tenter d'accélérer l'issue du conflit. Il se lance alors dans une guerre sous-marine à outrance pour entraver l'approvisionnement des Alliés. Pour mettre la France et l'Angleterre à genoux, les cent vingt-huit sous-marins allemands doivent couler 600 000 tonnes par mois, une promesse qu'ils sont bien prêts de tenir. Inférieur à 400 000 tonnes, en janvier, le tonnage de navires coulés passe à plus de 500 000 tonnes, en février, et approche les 900 000 tonnes, en avril, point culminant de la campagne. Les torpillages, qui s'ajoutent à l'action des mines et aux attaques de navires de surface, expliquent, à eux-seuls, cette augmentation. Le 4 avril, deux jours avant l'entrée en guerre des États-Unis, le *SS Marguerite* et le *SS Missourian* sont envoyés par le fond en Méditerranée par deux *U-Boote*. L'équipage des machines du *SS Missourian*, ici représenté, fait une escale à Saint-Nazaire en 1916. Archives municipales de Saint-Nazaire, fonds Planchon. Benoît Chabot.

Intégré dans le groupe I avec le *Tenadores*, le *Pastores* et le *Havana*, le *Saratoga* est accueilli sur les quais de Saint-Nazaire, le 26 juin 1917, après une traversée marquée par une attaque de sous-marins, en dépit de la forte escorte accompagnant le convoi. Ce navire civil, acquis par le Département de la Guerre américain, est ensuite converti en navire hôpital. Archives municipales de Saint-Nazaire, fonds Planchon. Jean-Marie Kowalski.

République Française

VILLE DE SAINT-NAZAIRE

Mes Chers Concitoyens,

Dans quelques heures les troupes Américaines débarqueront à Saint-Nazaire.

Nous leur devons l'accueil le plus fraternel.

Vous acclamerez nos alliés sur leur passage.

Vous pavoiserez en leur honneur.

La Grande République Américaine et la nôtre luttent pour la réalisation du même idéal de Civilisation, de Justice et d'Honneur.

Unissons-les dans ce même cri :

Vive les États-Unis d'Amérique !

Vive la France !

Saint-Nazaire, Juin 1917.

Le Maire,

Louis BRICHAUX.

La lecture de cette affiche laisse croire que l'arrivée des Américains suscite la liesse populaire. La foule n'est cependant pas nombreuse pour les accueillir lorsque le premier bateau accoste. Une grande discrétion entoure l'arrivée du premier convoi et les officiels, eux-mêmes, sont peu nombreux sur le quai. Les affiches annonçant l'arrivée des Américains ne sont placardées que dans la matinée du 26 juin. SPA 1 AD 61 © Daniau/ECPAD/Défense. Jean-Marie Kowalski.

Les 23 et 25 mai 1917, les hommes du *1st Aeronautical Detachment* embarquent à bord de l'*USS Jupiter* et de l'*USS Neptune* (à quai sur la photo), à destination de Pauillac et Saint-Nazaire. Ils ont pour mission d'apprendre le métier de pilote auprès des unités françaises, pour protéger les convois arrivant des États-Unis. Des deux navires américains, seul l'*USS Jupiter* subit l'attaque d'un sous-marin allemand. De leur côté, les soixante-quatre hommes de l'*USS Neptune* arrivent sans encombre à Saint-Nazaire. Ils gagnent ensuite Brest et le Centre d'aviation maritime (CAM) de Camaret, pour être finalement redirigés, fin juin, vers d'autres centres d'apprentissage. Ce sont donc les officiers français des Patrouilles de la Loire qui effectuent la protection du premier convoi de troupes américaines. Archives municipales de Saint-Nazaire, fonds Planchon. Benoît Chabot.

Lancé en 1905 et baptisé, à l'origine, *Washington*, le croiseur *Seattle* (photographié ici à Saint-Nazaire) prend son nom définitif en 1916. Après la déclaration de guerre des États-Unis, il rejoint New York, le 3 juin 1917. Il est alors armé pour le service de la guerre. Le 14 juin, il participe, en tant que navire amiral, au premier convoi de transport de troupes américaines (*Cruiser Force,* Première escadre, première division) vers l'Europe et arrive à Saint-Nazaire, le 26 juin 1917. C'est au cours de ce premier convoi que le *Seattle* repère la présence de sous-marins allemands. Peu avant l'attaque, ayant subi une avarie de gouvernail, le navire fait une embardée sur tribord, avant de reprendre sa trajectoire. Le sifflet retentit et le personnel sur le pont dit apercevoir un *U-Boot,* à moins de 50 mètres de la proue. Les rapports de renseignements français confirment la possibilité de la présence d'un ou de plusieurs sous-marins sur zone. L'échec de l'attaque du *Seattle* s'explique probablement, d'après le rapport de l'amiral Gleaves, par le bruit du sifflet, qui a fait penser à l'ennemi qu'il était découvert. Bibliothèque nationale de France. Sophie Boynton et Gilbert Nicolas.

Le 7 août 1917, un convoi, composé de cinq navires de transport escortés par un croiseur et deux contre-torpilleurs, quitte New York. À bord, les exercices de sécurité avec gilets de sauvetage sont quotidiens, comme sur le pont de l'*USS Finland,* ici à proximité du croiseur *Montana*. Le 20 août, d'après des témoins présents à bord, à 8 heures du matin, l'*USS Finland* est attaqué par un *U-Boot,* près de Belle-Île. Quelques heures plus tard, le convoi arrive indemne à Saint-Nazaire. Le *Bulletin de la guerre sous-marine* du 21 août 1917 précise qu'un sous-marin a été signalé le 20 août, qui pourrait être responsable du naufrage du vapeur *Thérèse et Marie,* la veille au soir. Ce naufrage est considéré par les services de renseignement de la direction générale de la guerre sous-marine comme pouvant être attribué au sous-marin U-84. Collection particulière, famille Miller/Association des Amis de l'Histoire de Savenay. Odette Guibert.

Un convoi approchant de Brest est survolé par un hydravion américain *Curtiss HS*, monomoteur de 360 CV, emportant trois hommes et 200 kg de bombes. La photo a probablement été prise à la fin de l'année 1918 ou au début de 1919. La base de Brest n'étant pas une base opérationnelle mais une base d'assemblage des appareils, c'est de l'Aber-Wrac'h que décollent les appareils chargés d'assurer la protection des navires à destination du goulet. Archives municipales et intercommunales de Brest.
Thierry Le Roy et Jean-Marie Kowalski.

Cette figurine présente un soldat américain, à l'époque de la Grande Guerre. Entre eux, les soldats s'appellent les *Doughboys,* rapporte *La Vie parisienne,* en 1920. C'est un nom informel, donné spécialement aux soldats de l'*AEF.* Mais il est déjà en usage, lors de la guerre avec le Mexique (1846-1848). Selon certains auteurs, le terme est lié aux *doughnut* ou *donut,* un beignet sucré, qui accompagnait les rations alimentaires des soldats. D'autres y voient le pendant américain du Poilu français. Société Métal-Modèles. Sculpteur, Daniel Dantel. Peintre, Fabrice Eisenbach. Photographe, Jean-Philippe Millot. Éric Joret.

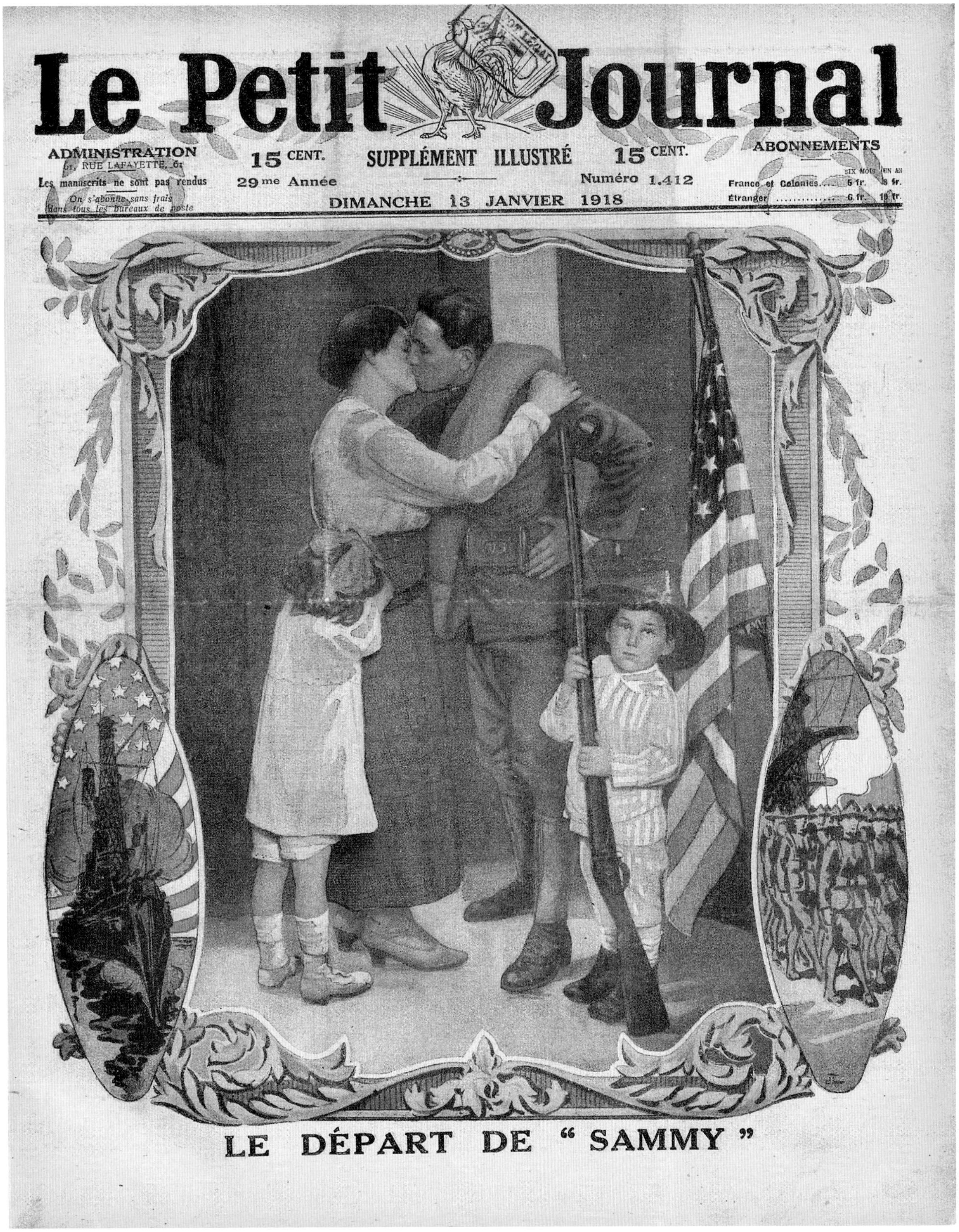

Le Petit Journal

ADMINISTRATION
61, RUE LAFAYETTE, 61
Les manuscrits ne sont pas rendus
On s'abonne sans frais dans tous les bureaux de poste

15 CENT. 29me Année

SUPPLÉMENT ILLUSTRÉ

DIMANCHE 13 JANVIER 1918

15 CENT. Numéro 1.412

ABONNEMENTS

	SIX MOIS	UN AN
France et Colonies....	5 fr.	8 fr.
Étranger	6 fr.	10 fr.

LE DÉPART DE « SAMMY »

Sammies, Teddies. Avant de rejoindre l'Europe, la question du nom donné aux soldats américains fait l'objet de nombreux articles de presse aux États-Unis. Le débat fait rage. Les civils penchent pour *Teddy*, terme « plus net, plus vif », qui est aussi le diminutif de Theodore Roosevelt, dont la popularité est grande. Et pourtant les soldats optent pour un autre nom, rappelant avec humour les initiales des États-Unis d'Amérique (*US Am, United States America*). Le général Pershing, recevant à Paris le 8 juillet 1917 les correspondants des journaux américains, précise aussi le nom populaire des fantassins américains. C'est celui de *Sammies* et non de *Teddies* qui a son approbation. Le journal des troupes américaines, *Stars and Stripes,* relance, quelques mois plus tard, le débat en demandant à ce que les soldats s'appellent les *Yanks*, diminutif de *Yankees*, qui proviendrait, selon les journalistes, de l'écossais voulant dire « malin, habile, dégourdi » ! *Le Petit Journal*, 13 janvier 1918. Bibliothèque nationale de France. Éric Joret.

Chapitre II

L'implantation de l'*AEF* (*American Expeditionary Force*)

Christine Berthou-Ballot, Samuel Boche, Michaël Bourlet, Benoît Chabot, Odette Guibert, Paul Guibert, Véronique Guitton, Jean-Marie Kowalski, Xavier Laubie, Michel Mahé, Claudia Sachet

Parc de montage des locomotives de la base n° 1 de Saint-Nazaire, aménagé fin septembre 1917. Cliché du *Signal Corps*, daté de février 1918. Médiathèque de l'Architecture et du Patrimoine. Claudia Sachet.

En envoyant quelque deux millions d'hommes de l'autre côté de l'Atlantique, les États-Unis organisent la plus grande projection de forces jamais mise en place. L'implantation de l'*American Expeditionary Force (AEF)* est une entreprise logistique sans précédent, menée par une arme créée de toutes pièces : environ un homme sur trois est alors affecté au soutien des forces. Les États-Unis ont certes déjà mené de nombreuses opérations militaires, hors de leur territoire, mais aucune n'a été d'une telle ampleur. En 1916-1917, le général Pershing, futur commandant de l'*AEF*, conduit la dernière d'entre elles, l'expédition du Mexique, avec des moyens limités et dans un contexte fort différent de celui de l'Europe. Il s'agit alors de mener une expédition punitive contre Pancho Villa qui, pendant la guerre civile mexicaine, avait franchi le Rio Grande et attaqué la ville du même nom, au Nouveau-Mexique.

Transporter des forces nombreuses outre-Atlantique exige de disposer d'un grand nombre de navires de transport, que ne possèdent pas les Américains, lors de la déclaration de guerre. Il faut également disposer de bâtiments militaires pour les escorter, mais tous n'ont pas la capacité d'effectuer la traversée de l'océan sans ravitaillement. Lors de la déclaration de guerre, tous les navires allemands présents dans les ports américains ayant été saisis, les plus grands d'entre eux sont convertis en transports de troupes. Onze sont saisis dans le port de New York, parmi lesquels le *Leviathan*, ex-*Vaterland* et le *Mount Vernon*, ex-*Kronprinzessin Cecilie*. Trois navires sont saisis à Boston, tandis que deux autres le sont à Norfolk et un à Philadelphie. Ces navires forment l'ossature des capacités de transport de troupes américaines pendant le conflit, mais d'importantes réparations doivent être effectuées, les équipages ayant pris soin d'en saboter les installations, déjà endommagées par le manque d'entretien des années de guerre.

Avant même de débarquer troupes et matériel en Europe, il faut s'assurer que les navires sont en mesure d'effectuer le trajet aller-retour, sans être dépendants des capacités limitées de ravitaillement européennes. Le charbon faisant défaut dans les ports français et britanniques, il faut augmenter les capacités des soutes des navires et organiser le stockage de charbon en Europe. Quant aux destroyers, qui assurent avec des croiseurs l'escorte sur l'Atlantique et disposent de chaudières à mazout, ils parviennent à traverser l'océan grâce au succès des premières opérations de ravitaillement à la mer. Elles sont menées, à partir de la fin du mois de mars 1917, au moyen de pétroliers ravitailleurs placés à mi-parcours. Cette manœuvre, aujourd'hui courante, n'en est alors qu'à ses débuts. La *Cruiser and Transport Force*, force mixte constituée de navires de transport et de bâtiments de combat, placée sous le commandement de l'amiral Gleaves, assure avec succès sa mission, sans perdre un seul navire dans son trajet vers l'Europe.

Une fois les troupes parvenues dans les ports européens, et plus particulièrement dans les ports français, tout reste à faire pour leur permettre de débarquer, de s'équiper, de rejoindre leurs camps d'entraînement, puis les zones d'opérations. Accueillir des convois importants de navires de grandes dimensions est un défi auquel les ports français ne sont nullement préparés. Ils ne disposent ni des infrastructures ni du personnel suffisants pour mener à bien cette tâche. En effet, ce n'est pas un flux continu qu'il faut accueillir, mais une succession d'arrivées en masse, qui oblige à mobiliser d'importants moyens, qui restent sous-employés dans l'attente d'un nouveau convoi. Le premier convoi arrivé à Saint-Nazaire débarque ainsi quelque cinq cents *stevedores*, dockers américains. Leur nombre étant insuffisant, ils sont dans un premier temps assistés par le régiment de *Marines*, embarqué sur le *Henderson*, le *De Kalb* et le *Hancock*. À ces personnels, viennent s'ajouter des Français et des prisonniers allemands.

Les infrastructures portuaires, les capacités d'hébergement et de transport du grand ouest de la France sont largement sous-dimensionnées pour accueillir les troupes. Les Américains entreprennent de les remettre à niveau et envoient pour cela de nombreuses unités du génie. Si l'histoire retient que ce sont des aviateurs qui s'installent les premiers, les Américains acheminent en France de nombreuses unités qui préparent l'arrivée des forces combattantes. Dès le mois de juillet 1917, des unités spécialisées dans le transport ferroviaire débarquent, suivies par d'autres spécialisées dans la construction de routes et de bâtiments, dans la mise en place de réseaux d'adduction d'eau et d'assainissement ou encore d'électricité, dans la mise en œuvre de moyens de levage portuaires, de transport par camions, d'exploitation de carrières. Les camps dédiés au transit de personnels dans l'Ouest se convertissent, après l'armistice, en camps de séjour plus long, dans l'attente de bateaux disponibles pour le réembarquement, en direction des États-Unis.

La Bretagne n'accueille pas que des bases logistiques. Elle reçoit également des moyens navals opérationnels. L'amiral Henry B. Wilson établit à Brest son état-major des forces navales en France, mais aussi des moyens aériens, dédiés à la protection des convois face à la menace sous-marine. Enfin, les Américains installent dans l'Ouest de nombreux établissements de soins, qui jouent un rôle essentiel dans le soutien sanitaire aux troupes débarquées. Ils permettent également le rapatriement des blessés et sont en service, longtemps après l'armistice. Ils sont particulièrement sollicités pendant l'épidémie de grippe espagnole, qui sévit à la fin de l'été et au début de l'automne 1918.

En dépit des efforts considérables entrepris pour soutenir les troupes, les services de soutien sont aux limites de leurs capacités au mois de juin 1918, alors que l'effort logistique atteint son apogée. Pershing nomme, en août, comme nouveau commandant de ces services, le major général James G. Harbord, qui s'applique à remonter le moral des troupes affectées dans les ports et les bases de l'ouest de la France. Dès lors, une véritable compétition s'instaure entre unités. Chacune s'efforce d'améliorer ses performances et de dépasser ses objectifs, afin d'obtenir le privilège d'être parmi les premières à rentrer au pays après la guerre. Permettant l'afflux massif de troupes, au cours de l'été, le dispositif mis en place par les Américains dans l'ouest de la France apporte une contribution importante aux succès militaires, obtenus sur le front.

Jean-Marie Kowalski

À Saint-Nazaire, déchargement d'un navire sur des wagons plats, en novembre 1917. Médiathèque de l'Architecture et du Patrimoine.

Infrastructures portuaires, ferroviaires et modernisation des villes

Les ports français, ciblés pour le débarquement des troupes et du matériel sont, dans un premier temps, Saint-Nazaire et Bordeaux. Le port de Brest reste encore, à cette période, un port peu important. Mais à partir de l'automne 1917, la tendance s'inverse et Brest joue un rôle primordial dans le débarquement des troupes, Saint-Nazaire, Nantes et Bordeaux restant, comparativement, des ports plutôt dédiés au débarquement des matériels. Le débat n'est cependant pas clos, au début de l'année 1918, d'autant que la question du choix des ports de débarquement intéresse les Britanniques qui accueillent, eux aussi, l'aide américaine. L'état-major américain, installé en partie à Brest, axe ses efforts sur trois points : les aménagements portuaires, les transports des troupes et des matériels, plus particulièrement par voies ferrées et, enfin, l'alimentation en eau de ses camps et installations.

Les Américains portent leurs efforts sur l'amélioration ou la création d'aménagements portuaires. À Saint-Nazaire, sans bouleverser la physionomie des lieux, ils s'efforcent, avant tout, de désengorger le port en améliorant son outillage, afin de permettre une manutention rapide, tant à l'arrivée qu'au départ des marchandises importées. Quelques hangars sont également construits et de nouveaux engins de déchargement sont mis en place. De nombreuses grues sont mises en service. À Brest, les aménagements concernent essentiellement l'agrandissement du port. Il faut faire face au débarquement de près de 100 000 hommes par mois, à partir du printemps 1918, alors que la population brestoise de l'époque ne compte que 80 000 habitants. Les zones de déchargement des barges sont agrandies, de nouveaux engins de manutention installés, dont de nouvelles grues. De nombreux hangars et magasins sont construits, augmentant les capacités de réception et de stockage. Les chambres de commerce, impliquées dans l'exploitation des ports civils, sont cependant spectatrices de l'action du génie américain.

À Saint-Nazaire, les Américains améliorent les voies ferrées desservant les quais, pour les rendre plus accessibles. Ils aménagent de toutes pièces, sur le parc de Méan un système de voies établissant des communications directes entre les quais et le vaste établissement de Montoir. Des travaux similaires sont entrepris à Nantes. Après avoir envisagé de détourner des trains vers la ligne de Segré, voire de créer une nouvelle voie de contournement de Nantes, il est décidé de doubler la voie ferrée existante, en centre-ville, voie qui longe les quais de Loire et passe devant le château des ducs de Bretagne. Commencés le 5 décembre 1917, les travaux se terminent le 15 mai 1918, date d'ouverture de la voie ferrée à la circulation, désormais empruntée par de très nombreux convois de près de cinquante wagons.

À Brest, c'est la préoccupation de l'acheminement des troupes qui domine et les infrastructures brestoises sont bouleversées pour y faire face : construction de voies ferrées pour relier le port aux camps, une autre construite pour les déplacements dans le camp de Pontanézen. Brest voit aussi arriver nombre d'automobiles et de camions, qui génèrent un trafic auquel la ville est peu habituée. De nombreux accidents sont à déplorer et les habitants se plaignent du trafic incessant en ville. Enfin, si les voies ferrées et les routes profitent des améliorations apportées par l'armée américaine, les télécommunications se développent également, avec la pose de câbles téléphoniques qui relient entre elles les implantations militaires.

L'alimentation en eau des installations et des camps constitue un volet important des infrastructures mises en place par les Américains. Ces dernières deviennent vite capitales, car les capacités des installations existantes sont très vite dépassées. D'autre part, les bateaux qui font escale avant de repartir vers les États-Unis doivent, bien sûr, refaire leur plein de combustible, mais ils doivent également apporter un complément d'eau douce, la consommation étant importante. Des solutions doivent donc être rapidement trouvées pour les besoins de la vie quotidienne, l'hygiène de la population et celle des soldats. À Saint-Nazaire, la consommation journalière de la ville passe de 2 700 m^3, en temps de paix, à une consommation oscillant entre 11 000 et 15 000 m^3 journaliers, entre 1917 et 1919. L'arrivée des troupes américaines, combinée à la sécheresse de l'été 1917, épuise les réserves d'eau potable de la ville. L'armée américaine entreprend donc, dès novembre 1917, la réalisation d'un barrage, au Bois Joalland. Ce réservoir s'avérant insuffisant, les ressources en eau potable de la ville sont complétées, de l'automne 1917 à l'automne 1918, par deux porteurs d'eau, qui acheminent quotidiennement 2 000 m^3 d'eau. Ces volumes sont puisés dans le canal de la Martinière, situé plus en amont, entre Nantes et Saint-Nazaire. Ce dispositif, déjà utilisé entre octobre et novembre 1916, est également complété par l'utilisation d'une drague automotrice, allant piéger de l'eau douce en amont de Nantes. L'hiver 1917-1918 s'avérant particulièrement sec, ce dispositif est complété par la réalisation de divers barrages et digues. Il y a d'autres réalisations importantes dans la région. L'approvisionnement en eau de l'hôpital de Savenay nécessite ainsi la construction d'un barrage de 128 mètres de long, nécessitant plus de 4 500 m^3 de béton, pour une capacité de stockage de plus de 450 000 m^3 d'eau. Cet ouvrage est le premier barrage voûte construit en France. Le traitement de l'eau nécessite la construction de deux bassins filtrants, d'une capacité de 1 250 m^3/jour. L'adduction se fait par une conduite en béton d'une capacité de 190 m^3. Enfin, 7,6 km de conduites d'évacuation des eaux usées et 15 km de conduites d'eau potable sont également posées. La plupart de ces chantiers sont réalisés, à Saint-Nazaire, par les soldats américains du génie. À Brest, le manque d'eau se fait également très vite sentir et ne fait qu'augmenter au fil du temps et des besoins grandissants. Tout un système d'alimentation en eau est donc imaginé à partir d'un barrage construit de toutes pièces au lieu-dit Kerléguer, à la jonction du Spernot et de la Penfeld. Un réservoir intermédiaire est installé à Tréornou, sur la commune de Lambézellec. Il est transformé, dans les années 1970, en piscine découverte, fréquentée par de nombreux jeunes Brestois. Sa récente disparition laisse place à une grande nostalgie.

Christine Berthou-Ballot et Benoît Chabot

Port de commerce et arsenal de la Marine, Brest subit de profondes modifications de ses infrastructures, tant dans leurs moyens que dans leur utilisation. Le cliché pris depuis un ballon captif, à la fin de 1918, par Harry St Clare Wheeler, marin américain affecté à Brest, en laisse entrevoir certains aspects tels que la construction de réservoirs (en haut) ou encore l'utilisation des bassins pour entretenir et réparer des navires civils américains. On peut ici apercevoir le *Mount Vernon*, en réparation, après son torpillage, le 5 septembre 1918. Le site de Laninon (en bas) est également aménagé pour recevoir des hydravions, les ateliers reçoivent des machines fournies par les Américains, tandis que les adductions d'eau sont améliorées. C'est donc l'ensemble portuaire, civil et militaire, qui est transformé en profondeur. Collection famille Wheeler. Jean-Marie Kowalski.

L'approvisionnement des troupes américaines repose en partie sur l'importation de viandes congelées. Or, en 1917, Saint-Nazaire ne dispose pas de dépôts assez grands pour absorber les importantes cargaisons arrivant au port. Les Américains édifient alors, en coopération avec la Société des Glacières et Frigorifiques de Saint-Nazaire, un entrepôt frigorifique dans la partie du port qui leur est concédée. La société nazairienne est maître d'œuvre du projet, sous contrôle de l'armée américaine, qui valide les plans et fournit une partie de la main-d'œuvre, des transports et des matériaux. Réalisé en un peu plus d'un an et demi (au lieu des six mois prévus initialement), ce dépôt, achevé entre mars et mai 1920, traverse tout le XXe siècle pour être finalement détruit en 2016. Des travaux similaires sont entrepris à Brest, de juin à août 1918, avec l'édification d'un entrepôt frigorifique sur la jetée ouest du port de commerce. Archives municipales de Saint-Nazaire. Benoît Chabot.

Selon l'historien Yves Nouailhat, l'activité la plus remarquable de la base n° 1 de Saint-Nazaire est celle du parc de montage des locomotives, aménagé fin septembre 1917. Les machines arrivent en pièces détachées des États-Unis, au rythme de cent locomotives par mois. Ces pièces sont assemblées en une quinzaine d'heures par les hommes du 19e régiment du Génie. Six à sept locomotives sont mises en circulation par jour. Ces machines robustes consomment une grande quantité de charbon. Un dépôt est établi au parc de Méan. En juillet 1919, 1800 locomotives sont montées, 1400 pour le compte du gouvernement français et 400 pour le compte de l'armée américaine. Photo du *Signal Corps,* prise en février 1918. Médiathèque de l'Architecture et du Patrimoine. Claudia Sachet.

À Saint-Nazaire, comme pour les ateliers ferroviaires, une intense activité occupe les camps de réception de marchandises, à l'arrivée des bateaux. Cette logistique de premier plan impressionne les populations riveraines. Médiathèque de l'Architecture et du Patrimoine. Claudia Sachet.

Les marchandises débarquées sur le port de Saint-Nazaire, ou sur l'appontement situé sur la Loire, sont ensuite transportées vers les bâtiments de stockage de Montoir, où elles sont entreposées. Pour ce faire, un pont ferroviaire enjambant le Brivet et une double voie ferrée sont construits, reliant le port au camp de Montoir. Une jonction à l'est de la commune relie les installations à la ligne de chemin de fer de Nantes. Collection Saint-Nazaire Tourisme et Patrimoine-Écomusée. Michel Mahé.

Si à l'automne 1917, seuls quinze navires accèdent au port de Nantes pour la base américaine, 1918 voit arriver 132 navires américains et 34 navires neutres (suédois, norvégiens et danois). Les infrastructures portuaires, investies par les Américains, à partir d'octobre 1917, font l'objet de travaux d'amélioration et en particulier d'éclairage, permettant d'allonger les opérations de déchargement des navires et de chargement des trains. Entre le 29 octobre 1917 et le 31 mars 1919, 836 827 tonnes de marchandises (combustibles, céréales et pommes de terre, matériel, munitions et explosifs) sont débarquées sur les quais de Nantes. Ce volumineux trafic nécessite une importante manutention, en partie assurée par des prisonniers allemands, remarquables à leur tenue marquée « PW » (*Prisoner of War*). *National Archives and Records Administration (NARA)*. Véronique Guitton.

Ne pouvant utiliser la totalité du port de Saint-Nazaire, difficile d'accès à cause des marées et compte tenu de l'importance de leur trafic, les Américains construisent un appontement sur la rive droite de la Loire, à Montoir. D'une longueur d'un kilomètre pour trente-six mètres de large, il peut accueillir huit navires de 125 mètres. Une estacade, sur laquelle sont édifiées des voies ferrées le relie à la terre ferme. Seuls 400 mètres de l'appontement sont construits et les deux premiers navires y accostent, en février 1919. Collection Saint-Nazaire Tourisme et Patrimoine-Écomusée. Michel Mahé.

L'arrivée massive de véhicules à moteur exige une série d'aménagements urbains : construction de parcs de stationnement, rénovation des routes, modification des plans de circulation, mais aussi implantation de dépôts de carburant et de stations-service. La population brestoise voit donc croître brutalement le nombre de véhicules à moteur, qui provoquent des accidents. Les habitants sont encore peu habitués à ce type de moyen de transport. Ils se plaignent également du bruit diurne et nocturne. Archives municipales et métropolitaines de Brest. Christine Berthou-Ballot et Jean-Marie Kowalski.

L'alimentation en eau potable de la ville et des camps est un problème récurrent pour Saint-Nazaire. Les sécheresses des années 1917 et 1918 poussent les ingénieurs américains à trouver de nouvelles sources d'approvisionnement dans le bassin versant du Brivet. Ils y réalisent plusieurs barrages et une station de pompage à Trignac pour acheminer cette eau vers le Bois Joalland. Malgré ces efforts, l'alimentation en eau de la base de Saint-Nazaire reste compromise, à la fin de 1918. Ils pompent alors de l'eau dans le canal de Nantes à Brest pour la déverser dans le Brivet. Alors que Saint-Nazaire doit permettre le rembarquement d'une partie des troupes pour les États-Unis, la situation s'aggrave encore. Les capacités d'approvisionnement ne suffisent plus à alimenter régulièrement les populations civiles et militaires. Finalement la réalisation d'une deuxième station de pompage à la Guesnes et la forte pluviométrie de l'hiver 1918-1919 suffisent à résoudre le problème. *Gang Plank News,* 25 juin 1919. Archives municipales de Saint-Nazaire, fonds Billon. Benoît Chabot.

Bien qu'elle soit dotée d'un service d'eau, la ville de Savenay ne peut satisfaire les immenses besoins du *Base Hospital 8*. Les Américains choisissent le site de la Vallée Mabile pour y construire un barrage, de novembre 1917 à avril 1918. Construit en béton, il a une épaisseur de 4,72 m à la base, 1,52 m au sommet, pour une longueur de 122 mètres. Un lac d'environ 23 hectares est ainsi formé. Une station de pompage et une station de filtration rapide sur sable prennent place à sa base. C'est l'ouvrage hydraulique le plus important de tout le grand Ouest, construit par les Américains. *Courtesy US National Library of Medicine*. Paul Guibert.

L'entrée du camp de Pontanézen à Brest. Archives municipales et communautaires de Brest.

Les zones de débarquement, de transit et de déploiement de l'armée américaine

Dès son arrivée en France, le général Pershing réfléchit à l'installation de ses troupes et à la mise en œuvre des moyens humains et matériels pour atteindre ses objectifs. Il œuvre avec méthode, organise rationnellement les missions et définit clairement les objectifs. Enfin, pour l'aider, il fait appel à des professionnels venus de la société civile (des banquiers, des économistes, des logisticiens, des juristes, des ingénieurs, etc.). L'installation de l'armée américaine s'organise autour de trois espaces comprenant des installations et des camps spécifiques : une zone de débarquement, une zone de transit et une zone de déploiement.

L'ouest de la France est privilégié pour accueillir la force expéditionnaire. En collaboration avec les Français, Pershing sélectionne soigneusement les ports appelés à accueillir troupes et matériel. Brest, Saint-Nazaire, où les premiers soldats débarquent le 26 juin 1917, Bordeaux, Le Havre et Marseille sont sélectionnés, mais d'autres ports sont également mis à contribution. Autour de ces ports, d'immenses zones de regroupement sont aménagées à l'instar de Pontanézen près de Brest, une ancienne caserne française, dans laquelle 800 000 *Sammies* transitent, de 1917 à l'armistice, puis plus d'un million au cours de l'année suivante. Toutefois, les installations portuaires sont insuffisantes pour soutenir la projection d'une force expéditionnaire nombreuse. Par conséquent, l'armée américaine développe et modernise les zones portuaires dans lesquelles sont construits d'immenses magasins et entrepôts comme l'entrepôt frigorifique de Saint-Nazaire ou le gigantesque dépôt de Montoir-de-Bretagne, garantissant l'approvisionnement de l'armée américaine. De nouvelles cales et des chenaux sont percés. Des quais, des docks et des appontements pour le débarquement des troupes et du matériel sont construits, comme à Bassens, près de Bordeaux.

Afin d'acheminer hommes et matériels dans l'Est de la France, les Américains utilisent ou construisent des lignes de chemin de fer partant des principaux ports. Celles-ci convergent vers des zones de transit, situées principalement dans les régions du Mans, de Tours et de Bourges. Ces zones sont composées de gares régulatrices, d'arsenaux, d'entrepôts, de dépôts, d'ateliers, etc. À Gièvres, dans le Loir-et-Cher, autour d'une immense gare régulatrice, les Américains installent de gigantesques dépôts et zones de stockage pour l'alimentation, l'équipement et les munitions.

Enfin, les soldats et le matériel gagnent la zone de déploiement et les camps d'instruction dans l'Est de la France. Dès juin 1917, les Alliés et les Américains s'entendent sur la Lorraine comme zone de déploiement. Ce secteur offre plusieurs avantages. Le calme relatif qui y règne est propice à l'instruction du corps expéditionnaire. Il permet d'éviter une forte imbrication des troupes américaines dans le dispositif allié, contournant ainsi les menaces d'un amalgame. Enfin, cette zone de déploiement est bien reliée à la façade atlantique par un réseau dense de voies de chemin de fer et de routes. Les camps d'instruction sont principalement installés à proximité du front, sauf le camp de Coëtquidan destiné à l'instruction des unités d'artillerie. Les troupes américaines sont instruites dans la Meuse, à Gondrecourt-le-Château, Vaucouleurs et, en Haute-Marne, à Bourmont. Au centre du dispositif américain, le général Pershing installe son quartier général à Chaumont, en Haute-Marne. Son état-major, organisé à la française, prépare l'instruction des troupes, planifie les opérations et enfin commande. Cette zone de déploiement se couvre de camps et de baraquements où cantonne la troupe, d'hôpitaux, de terrains d'aviation, de parcs d'artillerie.

Les Américains font preuve d'une extraordinaire capacité d'adaptation et d'innovation. L'objectif est alors d'organiser les flux de personnes et de matériels dans les meilleures conditions et les plus brefs délais. Cette organisation permet à l'armée américaine d'aligner près de deux millions d'hommes en Europe, en novembre 1918. Les mêmes installations sont utilisées, avec des contraintes logistiques différentes, pour permettre le rembarquement de l'armée américaine, qui s'effectue en quelques mois. En septembre 1919, il reste moins de 20 000 soldats américains en France.

Michaël Bourlet

Le 21 juin 1917, Saint-Nazaire est officiellement désigné par l'armée américaine comme le quartier général de la base n° 1, qui inclut un territoire allant de Brest à Poitiers. En novembre, le port de Brest est détaché de cette base et devient le centre de la base n° 5. À Saint-Nazaire, les premières troupes débarquées le 26 juin s'installent au camp n° 1, dit du Bois Guimard, à l'ouest de la ville. Il sert tout au long de l'intervention américaine de camp de « passage », puis de repos et, enfin, de rembarquement des troupes. Le cliché montre des prisonniers allemands et des soldats américains dans le premier camp. Cette photographie est datée du 27 juin 1917. Bibliothèque nationale de France/Agence Rol. Claudia Sachet.

Neuf camps sont installés dans la ville de Saint-Nazaire ou à proximité. Outre le camp du Bois Guimard, parmi les huit autres figure le camp n° 2, sur la route de Pornichet près de Kerlédé et de la plage de Villès-Martin, ici représenté en juillet 1917. Hormis le camp n° 1, dans lequel le génie français fait construire des baraques Adrian par les prisonniers de guerre allemands, et le n° 5, qui, au départ, occupe d'anciens bâtiments, les autres camps sont aménagés par le Génie américain (voir plus loin). L'ensemble des camps a une capacité de 60 000 hommes. À cela, il faut ajouter un hôpital de 1 000 lits, implanté dans le collège des garçons (*Base Hospital 101*) et un autre dans des baraquements près du camp n° 1 (*Base Hospital 11*). Enfin, une maison de convalescence de la *YMCA* est installée dans un hôtel de Sainte-Marguerite. Médiathèque de l'Architecture et du Patrimoine, Dist. RMN-Grand Palais. Claudia Sachet.

L'armée américaine multiplie les implantations de toutes tailles pour loger ses unités. Elle a recours tant à de vastes camps de baraques en bois pour des camps tels que Pontanézen ou des hôpitaux comme ceux de Savenay et du Relecq-Kerhuon, qu'à des installations plus réduites, faites de tentes. Dans d'autres cas, constructions en bois et tentes côtoient de plus anciens bâtiments, mis à disposition par les Français. Ici, des aviateurs de l'aéronavale américaine ont établi leur campement à proximité de Saint-Nazaire. Une première partie d'un détachement constitué de sept officiers et 122 hommes est arrivée à Pauillac, le 5 juin 1917. La deuxième partie arrive à Saint-Nazaire le 8 juin, près de trois semaines avant l'arrivée du premier convoi. *National Archives and Records Administration (NARA).* Jean-Marie Kowalski.

En septembre 1917, des milliers de soldats français, pour la plupart territoriaux, sont envoyés au camp de Coëtquidan pour construire, en un temps record, les baraquements destinés à accueillir les unités américaines d'artillerie. C'est une véritable fourmilière de travailleurs. Les Poilus eux-mêmes n'en reviennent pas. Dans les courriers qu'ils adressent à leurs proches, certains témoignent de leur stupéfaction. 6000 estime l'un d'eux, 10000 surenchérit un autre… et c'est sans compter les 5000 prisonniers allemands, dont le nombre s'accroît aussi tous les jours ! Quelques jours plus tard, les Français cèdent peu à peu la place aux premiers régiments d'artillerie américains, encadrés par de nombreux *Military Policemen*. En voici deux, posant devant la maison du photographe Havard, à Saint-Raoul dans le Morbihan, à un kilomètre du camp de Coëtquidan, qui voit son quotidien bouleversé par cette soudaine et durable installation. Collection Guy Castel. Claudia Sachet.

Au cours de l'année 1918, plusieurs communes du sud de l'Ille-et-Vilaine et du nord de la Loire-Inférieure (Redon, Bain-de-Bretagne, Guipry, Messac, Pléchâtel, Saint-Malo-de-Phily, Saint-Senoux, Maure, Pipriac, Renac, Langon, Brain, Avessac, Fégréac, Saint-Nicolas-de-Redon, Beslé, etc.) sont traversées par les troupes de l'armée américaine. Ces unités sont principalement des régiments d'artillerie, qui se rendent depuis Saint-Nazaire ou depuis Brest, via Rennes, au camp d'entraînement de Coëtquidan ou à celui de Meucon, près de Vannes. Du fait de leur itinérance, les troupes ne sont pas immobilisées dans des camps, mais cantonnent à l'entrée des bourgs dans des tentes et se logent chez les habitants. Collection particulière. Claudia Sachet.

C'est après l'armistice que le camp de Pontanézen, au nord de Brest, voit son activité se développer fortement. Lorsque le génie américain s'installe dans la ville, le 22 novembre 1917, Pontanézen est identifié comme pouvant accueillir des troupes ; cinq grands bâtiments et d'autres, de taille plus réduite, y sont déjà disponibles. De plus, de vastes étendues de terrain sont susceptibles de permettre des extensions. Des travaux pour accueillir 4 500 hommes sont entamés, en décembre 1917. Jusqu'en mars-avril 1918, le principe est que les troupes arrivant à Brest restent sur les bateaux en attendant que des trains puissent leur faire quitter le port, ce qui retarde les rotations. Le camp de Pontanézen peut alors accroître la productivité, en permettant de brefs séjours. Les convois arrivent selon un rythme irrégulier et déversent des milliers d'hommes en peu de temps, créant ainsi des pics d'activité et un engorgement des infrastructures. Au mois d'août 1918, des travaux d'extension sont entamés pour porter la capacité à 55 000 hommes, et, en septembre, est construit un quartier pour les soldats atteints de maladies contagieuses, en raison de l'épidémie de grippe espagnole. Au cours de ce seul mois, 3 348 officiers et 126 426 hommes transitent à Pontanézen. Lors du rembarquement des troupes, le camp voit même passer 150 788 soldats, en mai 1919. *National Archives and Records Administration (NARA)*. Jean-Marie Kowalski.

Les capacités d'accueil du camp de Pontanézen sont portées à quelque 80000 hommes par jour, grâce aux quatre cent cinquante baraques en bois, d'une capacité unitaire de cent douze places, et aux 6000 tentes, qui peuvent en héberger 30000 de plus. Si l'on ajoute à ces hébergements tous les autres édifices nécessaires à la vie du camp, ce sont plus de 1100 constructions qui viennent s'ajouter aux cinq bâtiments du début. Archives municipales et communautaires de Brest. Jean-Marie Kowalski.

Après l'armistice, le camp de Pontanézen continue de s'étendre et accueille les soldats en attente d'embarquement pour les États-Unis. Plusieurs espaces spécifiques du camp sont aménagés : le *Liberty Theatre*, *Troop Kitchen*, *Officers Club*, *Warehouse*. La zone (dite jaune) est traversée par trois axes de communication (*first street*, *second street* et *third street*), mais l'axe central est la route de Brest. Archives municipales et communautaires de Brest. Xavier Laubie.

En 1919, Pontanézen, qui accueille une population comparable en nombre à celle de la ville, devient une vraie cité américaine aux portes de Brest : voies goudronnées, cuisine, salle de spectacles, magasins, hôpital, centrales électriques, adductions d'eau, système d'assainissement. Le camp, dans sa partie ouest avec les baraques et les tentes, est photographié en 1919. Archives municipales et communautaires de Brest. Xavier Laubie.

La base américaine de Saint-Nazaire reçoit 42 500 chevaux, entre juin 1917 et l'armistice. Ils passent tout d'abord par un camp de remonte, déjà aménagé près du front de mer depuis le début de la guerre, avant d'être acheminés vers le front. Un hôpital vétérinaire est construit à Kerlédé, près du camp n° 2, qui accueille et soigne les chevaux blessés ou malades. Il peut recevoir jusqu'à 3 000 chevaux qui repartent vers le front, une fois guéris. Collection Saint-Nazaire Tourisme et Patrimoine-Écomusée. Michel Mahé.

Ces prisonniers allemands, employés à la construction de quais en bois (probablement les quais 7 et 8 du port de commerce) à Brest sous la surveillance de soldats américains, sont hébergés dans des camps prévus à cet effet par l'armée des États-Unis. Le fort du Bouguen héberge des hommes de troupe. Des travaux d'aménagement y sont entrepris à partir de septembre 1918 pour faire face à l'arrivée de prisonniers. Plus tard, une partie du camp est réservée aux femmes françaises mariées à des Américains, dans l'attente de leur départ outre-Atlantique. Dès le mois de juillet 1918, des travaux sont réalisés au fort de la Penfeld pour héberger les officiers allemands faits prisonniers. *National Archives and Records Administration (NARA)*. Jean-Marie Kowalski.

Certaines implantations militaires américaines de l'Ouest ont une vocation bien opérationnelle. Les exigences de la lutte anti sous-marine conduisent les Américains à implanter leurs hydravions dans des localités parfois assez éloignées de leurs bases principales. L'île d'Erc'h, qui porte aujourd'hui le nom d'« île aux Américains », est choisie en raison de sa position, à proximité de la jonction entre la Manche, la mer d'Iroise et l'Atlantique. *Naval history and heritage command*. Jean-Marie Kowalski.

La base aéronavale du Croisic est construite sur le terre-plein des Jonchères, face au port, avant d'être remise à la marine américaine. On reconnaît, au loin, le sanatorium, ce qui permet d'avoir une idée du volume des hangars. Les habitants sont impressionnés par la qualité et l'importance des installations, qui créent un nouveau quartier dans le petit port de pêche. Archives départementales de Loire-Atlantique. Éric Joret.

Le 21 février 1918, la *Naval Air Station* Île-Tudy est activée et, dès le 23 avril, deux de ses équipages repèrent un *U-Boot* en baie d'Audierne. Le pilote Kenneth R. Smith et son observateur G. E. Williams parviennent à placer deux bombes de 52 kg sur le sillage, faisant apparaître des traces d'huile. Cette action de guerre leur vaut d'être cités à l'ordre de l'Armée et décorés de la Croix de guerre avec palme. Collection Service historique de la Défense (SHD) et *Naval History and Heritage command*. Thierry Le Roy.

À Paris, lors de la Fête de l'*Independance Day*, le 4 juillet 1918, le défilé des infirmières de la Croix-Rouge américaine, NARA.

BASE HOSPITAL
214

Les services sanitaires du camp d'artillerie de Coëtquidan sont considérablement améliorés au cours des premiers mois de la guerre, du fait du cantonnement de nombreux régiments français. À l'ancienne infirmerie du camp d'été dans un bâtiment en pierre de cinq pièces, sont ajoutés, en août 1915, trois bâtiments en ciment armé et plusieurs baraques. Ces installations sont cédées en même temps que le camp à l'armée américaine qui les affecte au *Camp Hospital 15*. L'ensemble comprend, à son maximum, 900 lits. L'hôpital reçoit ses premiers patients, en novembre 1917. Un camp d'isolement pour vénériens est créé, en septembre 1918, au plus fort de l'épidémie de grippe espagnole. *The National Library of Medecine*. Claudia Sachet.

À Nantes, le *Base Hospital 34* s'installe, dès janvier 1918 et jusqu'en janvier 1919, sur les terrains de l'ancien parc Lelasseur. C'est là que débute la construction du grand séminaire, dont les importants bâtiments sont transformés en casernes et en salles d'infirmerie (ici photographié, en mars 1919). Les trois autres *Base Hospitals 11*, *38* et *216* prennent place, quelques semaines plus tard, dans la propriété communale du château du Grand Blottereau. Les Américains quittent le Grand Blottereau, en juin 1919. *National Archives and Records Administration (NARA)*. Véronique Guitton.

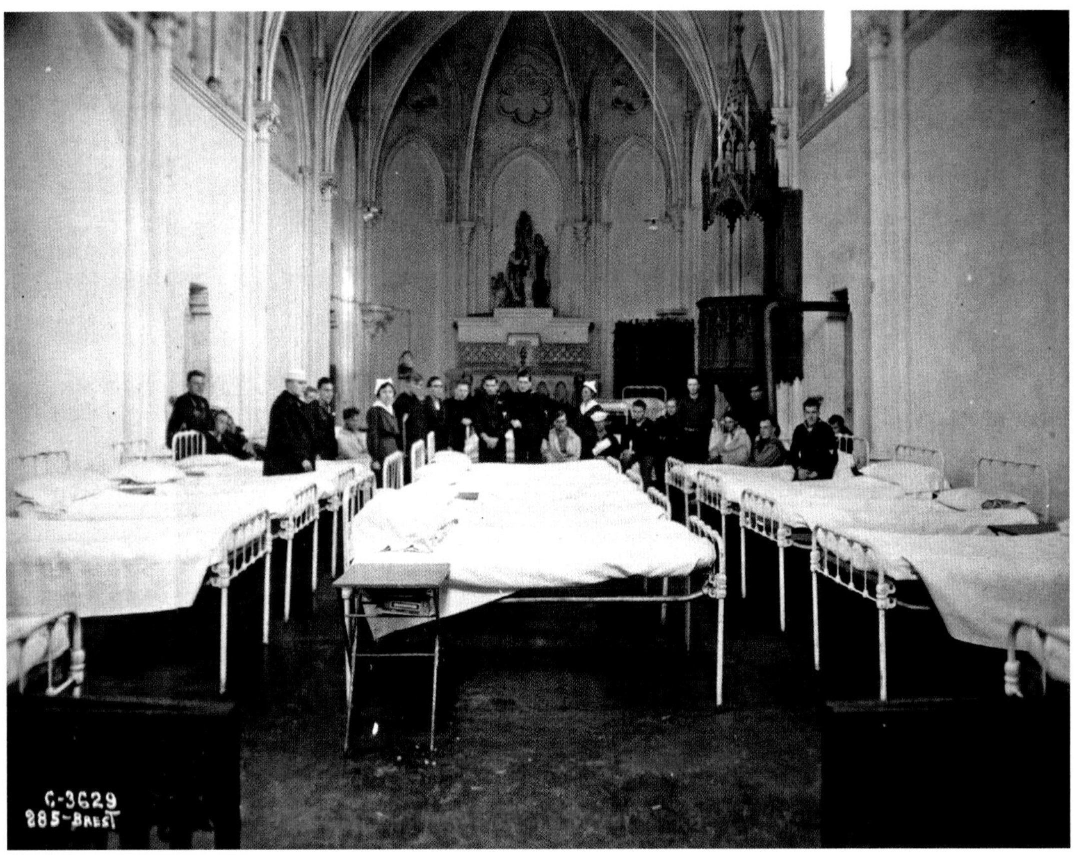

Les Xe et XIe régions militaires (Rennes et Nantes) hébergent quelque cent cinquante hôpitaux complémentaires et une quarantaine d'hôpitaux auxiliaires français pendant la Grande Guerre. L'Ouest accueille également de nombreuses infrastructures de santé américaines. On compte ainsi pas moins de six établissements de soins américains à Brest, auxquels il faut ajouter ceux du Relecq-Kerhuon ou de Landerneau. Nombre d'établissements scolaires et d'édifices religieux sont ainsi utilisés pour héberger les blessés. Ici, la chapelle des carmélites de la rue Kerfautras à Lambézellec accueille le *Navy Base Hospital 5*, dont la capacité d'accueil atteint 200 lits, en août 1918. *US National Library of Medicine*. Jean-Marie Kowalski.

Des infirmières du *Navy Base Hospital 5*, implanté chez les carmélites de la rue Kerfautras, à Lambézellec, prennent un temps de repos, au bord de la mer. Les services de santé sont particulièrement sollicités à la fin de l'été 1918, du fait de l'épidémie de grippe espagnole, puis durant le rapatriement des troupes, après l'armistice. Plus de 65 000 malades et blessés embarquent depuis la *Base Section 5*, dont Brest est le port principal. Huit mille deux cent vingt-cinq infirmières réembarquèrent pour les États-Unis. *Naval history and heritage command*. Jean-Marie Kowalski.

La campagne itinérante de la Mission américaine de préservation contre la tuberculose, dite Mission Rockefeller, se déplace en automobile dans les villes et les campagnes. Elle diffuse la propagande de prévention au moyen de films, conférences et panneaux d'exposition, à destination des adultes et des enfants. L'équipe affectée à la Bretagne arrive à Rennes, en mars 1918. En Ille-et-Vilaine, dix-huit villes, petites et grandes, sont au programme. Le Finistère et les Côtes-du-Nord sont également visités. Parmi les conférenciers français recrutés par la délégation américaine, Louis-Ferdinand Destouches, le Céline du *Voyage au bout de la Nuit*. Collection François Gibault. Claudia Sachet.

« La conférence américaine est faite dès le premier lundi de la reprise des classes, en novembre [1918]. Plein d'humour, le conférencier intéresse au plus haut point son jeune auditoire dans sa causerie sur un sujet ingrat : l'hygiène et la guerre à l'alcoolisme. La distribution de jolis albums illustrés d'images amusantes sur ces sujets assure le souvenir de cette intéressante conférence. » C'est en ces termes que la directrice de l'école de filles du boulevard de la Colinière (1918-1919) rend compte d'une conférence donnée par les Américains dans son établissement. Les enfants nantais, public privilégié, assistent dans leurs écoles aux conférences organisées par la Mission américaine et plus particulièrement par le Bureau des enfants de la Croix-Rouge américaine. Il leur est remis des brochures sur le thème, « Pourquoi soigner vos dents », ainsi que des cartes postales où sont inscrits douze commandements principaux, relatifs à la santé. Archives municipales de Nantes. Véronique Guitton.

Le 29 septembre 1918, la Mission américaine de préservation contre la tuberculose, menée par sa directrice, la doctoresse Miss Jenkins, est reçue par les autorités nantaises. C'est l'occasion, pour les douze membres de la délégation, médecins et conférenciers, de rencontrer les représentants locaux des services médicaux et d'assistance, civils et militaires. Accueillent ainsi les Américains, les directeurs de l'Institut Pasteur, de l'école de médecine ou du service de santé de la XIe région militaire, mais également la présidente du comité nantais de l'Union des Femmes de France. Archives municipales de Nantes. Véronique Guitton.

Les organisations de bienfaisance sont fortement présentes en France. La *Young Men's Christian Association* (*YMCA*), les *Knights of Columbus*, l'Armée du Salut, la Croix-Rouge ont pour mission première de soutenir les soldats américains en leur prodiguant des soins, mais aussi en les divertissant ou en leur proposant des sites de restauration. Toutefois, les Français bénéficient également de l'action de ces organisations, en particulier de la Croix-Rouge, qui mène une mission d'éducation des mères de famille, afin de réduire la mortalité infantile. L'éducation à la santé et les mesures prophylactiques destinées à l'ensemble de la population revêtent une importance toute particulière, à partir de septembre 1918, lorsque se répand l'épidémie de grippe espagnole. La philanthropie américaine se mesure aussi aux dons en argent que la Croix-Rouge américaine destine, à partir de novembre 1917, aux familles françaises les plus éprouvées par la guerre. Archives municipales de Nantes. Jean-Marie Kowalski et Claudia Sachet.

Chapitre III

De la préparation aux opérations militaires

Michaël Bourlet, Thierry Le Roy et Gilbert Nicolas

En avril 1917, l'armée américaine est forte de 6 000 officiers et de 128 000 hommes du rang dans des unités d'active et de 14 000 officiers et 180 000 hommes du rang dans la Garde nationale. L'armée, alors mal considérée aux États-Unis, reste faible. Cette armée a pour mission principale de garder la frontière mexicaine et d'assurer la souveraineté des territoires contrôlés par les États-Unis, outre-mer. Son expérience se résume aux guerres indiennes dans l'Ouest américain, à la guerre hispano-cubaine de 1898, au conflit philippino-américain (1899-1902), puis à l'intervention contre la révolte des Boxers, à Pékin (1900) et contre les révolutionnaires mexicains (mars 1916-février 1917). Cette armée n'est pas en mesure de soutenir une guerre lointaine, impliquant un engagement massif.

À partir de l'entrée en guerre des États-Unis, plusieurs étapes d'entraînement, d'abord aux États-Unis, puis dans l'Ouest et l'Est de la France permettent aux forces terrestres américaines de se préparer aux formes de la guerre, avant d'affronter l'épreuve du feu.

Le développement de l'aéronautique, exigeant une étroite coopération entre observateurs aéronautes et artilleurs, rend nécessaires la coopération franco-américaine et la formation des pilotes américains, dès leur arrivée en France. Après une instruction, débutée à Tours (Indre-et-Loire), des centres de formation sont ouverts dans plusieurs départements français (Gironde, Doubs, Indre), y compris en Bretagne, où, dans le Morbihan, les camps d'aéronautique de Coëtquidan et Meucon sont très actifs, initiant les équipages de compagnies de ballons, avant leur envoi vers le front.

À partir de l'été 1917, plusieurs bases de l'aviation française, situées le long des côtes, sont cédées à l'*US Navy* pour lui permettre, face à la menace des *U-Boote* allemands, d'assurer, elle-même, la sécurité de ses convois. L'action des Américains sur mer ne commence vraiment qu'au printemps 1918. Le 23 avril, deux hydravions repèrent un *U-Boot* en baie d'Audierne et le bombardent. La flottille allemande, qui opère, au large et à proximité immédiate des côtes bretonnes, perd, en moyenne, un sous-marin par semaine. À partir de la fin septembre 1918, les sous-marins allemands ne constituent plus une véritable menace.

Sur terre, ce n'est qu'au mois de mai 1918 que les Américains interviennent véritablement dans des opérations militaires, avec le soutien des Français. Après une expérience malheureuse en Meurthe-et-Moselle, en avril 1918, la première attaque authentiquement américaine de la guerre a lieu, contre les positions allemandes, dans le secteur de Cantigny (Somme). Même si le soutien de l'artillerie et des chars français s'avère nécessaire, le plan de bataille et l'essentiel des troupes sont américains.

À partir du 27 mai 1918, l'attaque de trente divisions allemandes perce le front du Chemin des Dames et crée une poche profonde, de l'Aisne à la Marne. De la fin mai à la fin juillet 1918, se déroulent les opérations alliées pour résorber cette poche. La deuxième bataille de la Marne, ponctuée de multiples et durs combats, permet à la 2e division d'infanterie américaine et à la brigade de *Marines* de s'illustrer (Bois Belleau). Ces succès confortent le moral des troupes françaises et témoignent de la capacité des Américains à préparer méticuleusement des attaques et à remporter des succès sur des points précis du front. Dans son ouvrage, *Mes souvenirs de la guerre*, paru chez Plon, en 1931, le général Pershing rappelle que les trois divisions américaines qui, pour la première fois, prennent part à des combats, se distinguent toutes d'une manière ou d'une autre : la 1re à Cantigny, la 2e au Bois Belleau, la 3e à Château-Thierry.

Du mois d'août au mois d'octobre 1918, quand les armées des Alliés élargissent le théâtre des opérations dans la Somme, en Artois et dans les Flandres, les 27e, 30e, 33e et 80e DIUS participent activement au recul des Allemands. Avec sa 1re armée, Pershing lance l'offensive franco-américaine qui, du 12 au 14 septembre, réduit le saillant de Saint-Mihiel, dans la Meuse. Le 25 septembre, l'offensive conjuguée de la 4e armée française et de la 1re armée américaine démarre en direction des Ardennes. Les Américains avancent en Argonne, puis progressent de part et d'autre de la Meuse, au prix de pertes considérables (les sources américaines évoquent 22 000 morts pendant la campagne d'Argonne), nécessitant un appui français, en octobre. Ce même mois, une deuxième armée américaine est créée, puis une troisième, en novembre.

Les États-Unis ne sont l'un des belligérants de la Grande Guerre que pendant les derniers dix-huit mois du conflit à l'Ouest et ils ne constituent une force combattante sur le terrain que dans les six derniers mois. Cependant, le rôle de l'*American Expeditionary Force* (*AEF*) est déterminant pour l'issue de la Première Guerre mondiale. L'arrivée des Américains permet de conforter l'armée française, après les mutineries du printemps 1917, et de précipiter les offensives allemandes du début de l'année 1918. Les forces américaines apportent aux Alliés la puissance nécessaire pour réaliser les contre-offensives, à partir de juillet 1918, provoquant le recul généralisé des Allemands, entre fin septembre et novembre 1918. Les unités américaines sont, certes, inégalement compétentes en matière de tactique et de logistique. Celles qui combattent assez tôt et fréquemment, telles les 1re, 2e, 32e et 42e divisions se révèlent efficaces. En revanche, d'autres, telles les 35e, 37e et 77e, n'atteignent jamais le même niveau d'efficacité, sans doute par manque d'entraînement préparatoire, par déficience du commandement et par une expérience au feu trop brève. Cependant, la masse combattante des Américains, sa puissance matérielle, la volonté affichée du combat commun avec les autres forces alliées contribuent, incontestablement, à rendre possible une victoire plus rapide que prévu, face aux Allemands.

Michaël Bourlet, Thierry Le Roy et Gilbert Nicolas

À Baleycourt (Meuse), au sud-ouest de Verdun, des brancardiers et des soldats de la 1re armée américaine s'apprêtent à monter en ligne pour récupérer des blessés. Cliché, 23 octobre 1918. SPA 5 EY 81 © Léon Heymann/ECPAD/Défense. Gilbert Nicolas.

Le 27 août 1917, à Naix-aux-Forges (Meuse), des soldats américains appartenant au 5e régiment des *Marines*, *Montana Peak* sur la tête, s'entraînent à l'utilisation de la baïonnette. SPA 216 M 4264 © Albert Moreau/ECPAD/Défense. Gilbert Nicolas.

La préparation à la guerre

Une fois la guerre officiellement déclarée, le 6 avril 1917, le premier objectif du gouvernement américain est de recruter des hommes. Le 18 mai 1917, le Congrès vote la loi de conscription universelle (*Selective Service Act*), qui prévoit le recensement de tous les citoyens américains, âgés de 21 à 30 ans. Près de dix millions d'hommes sont enregistrés, le plus souvent sans protestation. L'équipement, l'habillement, l'entraînement des recrues et la formation des cadres et instructeurs sont assurés avec l'aide des Franco-Britanniques. Tandis que les alliés militent pour un amalgame (*amalgamation*) des *Sammies* dans leurs armées, les autorités américaines préfèrent envoyer rapidement des troupes américaines sous la forme d'une armée nationale et indépendante, au même titre que les autres armées alliées. En contrepartie, la France s'engage à fournir instructeurs et armement.

Le haut commandement américain s'active pour assurer la montée en puissance de l'armée. L'*Embarkation Service* identifie et réquisitionne les navires destinés à transporter, avec le soutien des alliés, les troupes américaines. Sur le sol américain, trente-deux camps d'instruction sont ouverts pour accueillir les recrues. Pendant quatre mois, les conscrits apprennent la discipline et s'entraînent à la guerre des tranchées. Toutefois, l'acheminement vers l'Europe reste lent. La formation initiale prend du temps et les bateaux manquent. Seuls 183 000 Américains ont débarqué en Europe, à la fin 1917, et quatre divisions seulement sont sur le point d'achever leur formation. Progressivement, la formation et l'instruction des troupes américaines s'organisent et s'intensifient en Europe. Pour ce faire, Pershing répartit son état-major à la française en cinq bureaux. Il entame un important travail de planification pré-opérative, organise l'instruction et initie une réflexion sur l'emploi des troupes au combat.

À leur arrivée en France, les soldats américains transitent par des camps de regroupement dans l'Ouest, avant de rejoindre les camps d'instruction en Lorraine, retenue comme zone de déploiement. Ce secteur offre plusieurs avantages. Le calme relatif, qui y règne, est propice à l'instruction du corps expéditionnaire. De plus, la Lorraine est bien reliée à la façade atlantique par un réseau dense de voies de chemin de fer et de routes. Ainsi, les hommes de la 1re DIUS sont instruits à Gondrecourt-le-Château et aux environs, dans le département de la Meuse. L'entraînement comprend trois grandes phases. D'abord incorporés dans des bataillons, les hommes revoient l'instruction acquise dans les camps américains. Puis les bataillons sont intégrés dans des régiments français et envoyés dans des secteurs calmes du front pour apprendre sur le terrain. Enfin, les régiments achèvent leur instruction par l'apprentissage du combat interarmes, dans la perspective d'un engagement au feu.

Au-delà de cette formation initiale, des troupes américaines reçoivent une instruction spécialisée sur des armements spécifiques tels que les mortiers, les gaz, les mines, les lance-flammes, les mitrailleuses, etc. En soutien, les Français et les Britanniques détachent des centaines d'instructeurs auprès de l'armée américaine.

En matière d'aéronautique, la formation des pilotes américains commence dès novembre 1917. Des cours leur sont alors ouverts à Souge (Gironde), Coëtquidan (Morbihan), Valdahon (Doubs) et Meucon (Morbihan). Pendant que la troupe reçoit une formation militaire complète, « à la française », les officiers se familiarisent avec le matériel, les techniques et les cartes. Le 3 janvier 1918, la compagnie B du *2nd Balloon Squadron* arrive à Coëtquidan, en provenance du Havre, et reçoit son premier ballon Caquot, quelques jours après. L'ascension, qui a lieu le 23 janvier, est l'une des premières du Corps expéditionnaire américain en Europe (une autre a lieu à Souge, le même jour). Le 26 février, l'unité, renommée *2nd Balloon Company*, est envoyée par train vers la région de Toul. Elle est alors remplacée par la Compagnie A du *3rd Balloon Squadron*, devenue, la *5th Balloon Company*, puis par la *13th Balloon Company*. Parallèlement, d'autres écoles sont également créées pour permettre aux observateurs d'aviation de compléter leur formation.

En janvier 1918, un détachement du *13th Aero Squadron* est envoyé d'Issoudun (Indre) à Meucon, afin d'y travailler avec l'artillerie jusqu'au 6 avril. Mais c'est à Coëtquidan qu'est constituée, le 28 février, la *1st Artillery Aerial Observation School (AAOS)*. L'escadrille B du *800th Aero Squadron* est alors désignée pour se mettre au service de l'école, et le premier détachement de cinquante hommes, aux ordres du lieutenant Louis E. Lindemann, arrive début mars. Les six premiers avions Farman 40 sont livrés peu après.

Des compagnies d'aérostation se succèdent également à Meucon pour y être équipées et formées. La *7th Balloon Company* y est le 20 juin 1918, en provenance de Souge, où elle a reçu son équipement. Après son envoi au front, le 24 juillet, lui succèdent, dans les locaux, les *9th, 10th, 44th, puis 34th Balloon Companies*. Pendant ce temps, en mai, une annexe de l'école d'aviation de Coëtquidan se constitue également à proximité. Un détachement et huit avions Farman du *800th Aero Squadron* y est envoyé, sous le commandement du lieutenant Norman E. Fallot. En septembre 1918, l'école prend son autonomie et devient la *4th Artillery Aerial Observation School*. À partir du 1er octobre, pilotes et mécaniciens du *800th Squadron* sont remplacés par ceux les escadrilles A et B du *351st Aero Squadron*.

Au total, des 1250 officiers qui suivent le cours d'observateurs d'aviation dans les différentes écoles américaines en France, seuls 831 sont brevetés et une poignée peut servir au front avant l'armistice.

En moins de dix-huit mois, les États-Unis organisent, instruisent et équipent une armée de plusieurs millions d'hommes, avec le soutien des Franco-Britanniques. Sur terre, malgré quelques difficultés dans les premiers engagements (affaire de Seicheprey, avril 1918, en Meurthe-et-Moselle), l'instruction délivrée permet aux troupes américaines de s'illustrer à Cantigny, à Château-Thierry et au Bois Belleau, avant de prendre part aux grandes offensives du deuxième semestre 1918.

Michaël Bourlet, Thierry Le Roy et Gilbert Nicolas

Donatien Pavret de La Rochefordière (dit « Roche »), né en 1892 à Nantes, est étudiant en droit, avant de s'engager pour trois ans, en 1913, au 51e régiment d'artillerie. En 1915, il combat en Champagne. Sous-lieutenant, il est mis, en mai 1917, à la disposition de l'artillerie des États-Unis pour une mission d'instruction des troupes américaines dans les états du sud (Mississippi, Texas). Sur cette photographie de décembre 1917 au camp Shelby, « Roche », le premier à droite, est monté sur sa jument, Lady, un « pur-sang du Kentucky ». Il pose aux côtés du général H. H. Whitney, commandant du camp et de trois autres officiers français. Au cours de sa mission, il participe à la collecte de fonds pour les emprunts français auprès de la population américaine. Il rentre en France, le 25 octobre 1918. Archives départementales de Loire-Atlantique. Samuel Boche.

Un ballon Caquot (type M, 900 m³), à Meucon, peu avant son ascension. À gauche, parmi les hommes, on voit le treuil mobile, retenant le ballon au sol. L'empennage, situé à l'arrière, n'est pas gonflé à l'hydrogène comme le reste de l'enveloppe, mais prend sa forme grâce au vent. Il est inspiré du *Drachen* allemand. Deux observateurs ont pris place dans la nacelle. Ils sont reliés au sol par un téléphone. Au front, ils observent les lignes ennemies et guident l'artillerie. Par vent calme, ce type de ballon peut monter à 1 500 m, mais généralement on limite l'altitude à 5 ou 600 m, afin d'assurer sa sécurité par DCA, contre d'éventuelles attaques de l'aviation de chasse ennemie. Photo *US Army*.
Thierry Le Roy.

Les personnels du *351st Aero Squadron* à Meucon, à la fin de 1918. Ils constituent l'ossature de la *4th Artillery Aerial Observation School*, sous les ordres du lieutenant Lindemann. Ils sont ici devant un avion Caudron G.3, à moteur Le Rhône 80 hp, dont on voit quatre des neuf cylindres. Photo *US Army*.
Thierry Le Roy.

Le 14 mai 1917, quelques semaines après l'entrée en guerre des États-Unis, sous l'œil d'une caméra de la Section cinématographique des armées (SCA), l'ambassadeur des États-Unis en France, William Graves Sharp (deuxième personnalité, à partir de la droite, portant le chapeau melon), passe en revue les aviateurs américains du camp d'Avord, où existe une école militaire d'aviation. Les élèves-pilotes sont coiffés de leur casque. L'ambassadeur américain est accompagné de l'attaché militaire américain et de plusieurs généraux et officiers français, dont le lieutenant-colonel Adolphe Girod (1872-1933), inspecteur général des écoles et dépôts d'aviation, à droite de l'ambassadeur, en partie masqué. Au premier plan, sabre à l'épaule, le capitaine Max Boucher (1879-1929), directeur de l'école d'aviation d'Avord. SPA 92 P 1068 © Gabriel Boussuge/ECPAD/Défense. Gilbert Nicolas.

Le camp d'entraînement d'aviation d'Avord, dans le Cher, fonctionne comme école, depuis octobre 1912. Sur le cliché, une délégation de journalistes américains rend visite aux élèves pilotes américains, formés par les cadres de l'armée française. Les Américains participent à un cours sur le maniement et l'entretien des armes et des bombes embarquées dans les avions. Parmi les instructeurs français, le capitaine Max Boucher, directeur de l'école (d'octobre 1915 à juillet 1917) et le lieutenant-colonel Girod expliquent à des journalistes les conditions de l'instruction. SPA 1 GO 72 © Auguste Goulden/ECPAD/Défense. Gilbert Nicolas.

Au début du mois de juin 1917, la Section photographique de l'armée réalise un reportage à Dommiers (Aisne), où des soldats américains reçoivent des masques à gaz et apprennent à les utiliser. Depuis 1916, les masques à gaz disposent de deux œilletons, au lieu d'une lame unique et d'une double sangle pour les fixer sur la tête. Les soldats portent une housse en tissu, à la base arrondie, pour les ranger. Considéré comme un bon masque, ce modèle permet, en cas d'utilisation des gaz, de se protéger pendant environ quatre heures. SPA 77 S 3288 © Emmanuel Mas/ECPAD/ Défense. Gilbert Nicolas.

À la tête d'un gouvernement de choc, depuis le 17 novembre 1917, le président du Conseil, Georges Clemenceau, connaisseur et admirateur de l'Amérique, se déplace en Lorraine. Le 4 mars 1918, il rend visite aux hommes de la 1re division d'infanterie américaine (*Big Red One*), stationnés près du front. À Ménil-la-Tour (Meurthe-et-Moselle), sur un terrain boueux, Georges Clemenceau examine le masque à gaz des soldats américains. SPA 112 R 4164 © Edmond Famechon/ECPAD/ Défense. Gilbert Nicolas.

À la fin de septembre 1918, des bataillons américains s'entraînent à l'école du génie de l'armée américaine de Langres (Haute-Marne). Les soldats sont encadrés par des instructeurs français et formés aux techniques de construction de ponts flottants. Sur le cliché, des pontonniers de l'école américaine du génie ont accouplé deux bateaux pour renforcer un pont d'équipage. SPA 70 X 2987 © Joly/ECPAD/Défense. Gilbert Nicolas.

Le 26 juillet 1917, dans le camp de Houdelaincourt (Meuse), un soldat américain et un soldat français comparent leurs armes respectives. L'Américain reconnaissable à son couvre-chef, le *Montana Peak*, tient un fusil Springfield modèle 1903, alors en dotation dans l'armée américaine. Il est de calibre 30.06 (munitions de 7.62 modèle 1906) et a la particularité d'être doté d'un système Mauser. De son côté, le soldat français, chasseur alpin, casque Adrian sur la tête, tient un fusil Lebel. Un mois après leur arrivée en France, les Américains reçoivent le soutien technique des chasseurs alpins du 12ᵉ bataillon, rattachés à la 47ᵉ division d'infanterie du général d'Armau de Pouydraguin. SPA 211 M 4190 © Albert Moreau/ECPAD/Défense. Jean-Marie Kowalski et Gilbert Nicolas.

À Naix-aux-Forges (Meuse), le 27 août 1917, des soldats américains, casque britannique *Brodie* sur la tête, s'entraînent à l'utilisation de la mitrailleuse française Hotchkiss, sous l'œil de chasseurs alpins. Principale arme automatique de l'armée française, la mitrailleuse Hotchkiss, modèle 1914, de calibre 8 mm Lebel, est fabriquée à Saint-Denis et à Lyon. Elle est largement utilisée par le corps expéditionnaire américain, qui en reçoit 7 000 exemplaires, en 1917. Dotée d'un canon de 78 cm de long, elle pèse 25,3 kg, non chargée, utilise des bandes rigides de 24 cartouches et tire entre 400 et 500 coups à la minute, avec une portée pratique d'environ 2,5 km. Au premier plan, se côtoient les quatre servants réglementaires : un chef de pièce, un tireur, un chargeur et un chargeur adjoint. SPA 216 M 427 © Albert Moreau/ECPAD/Défense. Gilbert Nicolas.

Le 20 août 1917, à Demanges-aux-Eaux (Meuse), des soldats américains, encadrés par des chasseurs alpins, coiffés du casque Adrian et portant des bandes molletières, assistent à une démonstration du lance-grenades Viven-Bessière, arme très redoutée. Inventé par deux ingénieurs, Jean-Baptiste Viven et Gustave Bessière, ce canon à fusil VB est utilisé par l'infanterie française, depuis 1916. Le tromblon, d'un diamètre de 5 centimètres, est emmanché à l'extrémité du canon du fusil. La grenade elle-même, en fonte, pèse 490 grammes et contient 60 grammes d'explosif. Si le tir est possible à l'épaule, la force de recul recommande, comme le montre la photo, le tir avec la crosse posée sur le sol, permettant d'accroitre la portée de l'arme. SPA 9 GO 461 © Auguste Goulden/ECPAD/Défense. Gilbert Nicolas.

Fresnes-sur-Apance (Haute-Marne), juillet 1918. Dans le cantonnement d'un régiment afro-américain, après les manœuvres, les soldats, gamelle et quart à la main, attendent pour prendre le repas. SPA 14 IS 1589 © Bressolles/ECPAD/Défense. Gilbert Nicolas.

La place des minorités

Pendant la Première Guerre mondiale, les troupes américaines déployées en France (plus de 2 millions d'hommes) sont principalement composées de soldats blancs, aux côtés desquels servent des Noirs américains et des Amérindiens. Le pouvoir fédéral doit composer avec le poids des communautés, mais également avec la diversité des origines, des religions et des langues. Même si, en 1917, l'opinion publique bascule du côté de l'Entente, bon nombre d'Américains sont originaires de pays de l'Alliance. Indiscutablement, l'armée américaine est, à l'époque, ségrégationniste et plurielle. Les clivages sont aussi sociaux, économiques et culturels. Ces paramètres contribuent à expliquer la fragilité de l'unité nationale et la faiblesse du sentiment national.

En 1914, l'armée régulière comprend des régiments d'infanterie, de cavalerie, d'artillerie de campagne, du génie, de transmetteurs et d'artilleurs des côtes, principalement cantonnées en Amérique du Nord, aux Philippines, à Porto Rico, en Chine, à Hawaï et en Alaska. Ces troupes sont composées principalement de soldats blancs. Toutefois, quelques régiments sont formés de soldats noirs, mais ils sont encadrés par des officiers blancs, tels les 24e et 25e régiments d'infanterie ou les 9e et 10e régiments de cavalerie, les *Buffalo Soldiers*. En outre, un régiment d'infanterie recrute à Porto Rico et les États-Unis entretiennent des « troupes indigènes », comprenant 50 compagnies d'éclaireurs philippins, commandés par des officiers américains, et un petit corps d'éclaireurs indiens (*Indian scouts*) cantonné dans l'Ouest américain.

Dans cette armée, les soldats blancs ne forment pas un groupe homogène. Ils reflètent la diversité d'origine des populations européennes, installées aux États-Unis au cours du XIXe siècle (Irlandais, Scandinaves, Italiens, Allemands, Russes, etc.). Par exemple, les Américains d'origine allemande forment l'une des plus importantes communautés aux États-Unis. De cette communauté, émergent des groupes qui tentent de faire basculer l'opinion publique américaine dans le camp de l'Allemagne. De plus, le sentiment national embryonnaire est souvent supplanté par les particularismes régionaux ; on se sent souvent Virginien, Texan, Californien avant d'être Américain. Le recrutement de masse, imposé par la loi sur le recrutement de mai 1917, provoque un immense brassage et atténue les particularismes régionaux au profit d'un esprit de corps sous les *Stars and Stripes*. La projection du corps expéditionnaire contribue à souder les hommes, en dépit de la diversité de leurs origines.

Toutefois, la ségrégation raciale ne permet pas aux Afro-Américains d'être incorporés dans des unités blanches. Pourtant, depuis la fin de la guerre civile américaine, les Noirs américains sont citoyens des États-Unis. À partir de 1917, de nombreux Noirs souhaitent combattre en Europe, afin de prouver leur citoyenneté et de mettre un terme à la ségrégation. Après avoir hésité, le haut commandement américain refuse l'intégration des Noirs dans des unités blanches. Au total, près de 400 000 Afro-Américains servent dans l'armée américaine, au cours de la guerre, et environ 200 000 gagnent l'Europe. Ils combattent au sein des unités de logistique et dans les services. Contrairement à l'organisation militaire française, la doctrine américaine n'envisage pas l'engagement de troupes noires au combat. Néanmoins, 20 000 d'entre eux, destinés initialement à être employés dans des unités de l'arrière, sont engagés au combat, aux côtés des Poilus français. Ainsi, la 93e division d'infanterie, composée notamment du 369e régiment d'infanterie, *The Harlem Hellfighters* (les guerriers d'enfer de Harlem) et du 370e régiment d'infanterie, *The black Devils* (les Diables noirs), voit ses unités dispersées dans des grandes unités françaises et engagées à plusieurs reprises au front. Ces soldats portent le casque Adrian, repris sur le badge de la division (*The Blue Helmets division*). À plusieurs reprises, cette division, qui s'est distinguée au feu, est décorée de nombreuses citations et décorations, remises à titre collectif et individuel.

Si les Afro-Américains, citoyens des États-Unis, ne sont pas intégrés dans les unités blanches, il en va tout autrement des Indiens. Bien qu'ils ne possèdent pas la citoyenneté américaine, les Indiens sont recensés par le *Selective Service Act*. En 1917, ils sont plus de 17 000 à être incorporés dans les armées, parmi lesquels 14 000 sont envoyés en Europe, où ils prennent part aux combats. Ils proviennent majoritairement des peuples Osage, Quapaw, Sioux, Cherokee, Chippewa ou encore Cheyenne. Aucun régiment amérindien n'a été constitué, mais les Indiens sont intégrés dans des unités blanches et employés dans des fonctions spécialisées, en raison de leur spécificité culturelle réelle et parfois fantasmée. Ainsi, beaucoup sont affectés en qualité de *code talkers* dans le *Signal Corps*. Leur langue, inconnue en Europe, permet à l'armée américaine de sécuriser les communications. D'autres servent en qualité de patrouilleurs et d'éclaireurs, parce que, par tradition, les militaires américains pensent que ces hommes sont habiles pour se camoufler. Ces soldats font la preuve de leur courage et de leur dévouement au combat pour les États-Unis. En 1919, le Congrès vote une loi qui accorde les droits civiques aux vétérans indiens. Il faut attendre 1924 pour que la citoyenneté soit accordée à tous, de manière automatique.

Michaël Bourlet

Entre septembre 1917 et octobre 1918, la Section photographique de l'armée française (SPA) réalise au moins onze reportages dans le département de la Haute-Marne. Celui de juillet 1918 montre le cantonnement d'un régiment de soldats noirs américains sur le territoire de la commune de Fresnes-sur-Apance (arrondissement de Langres). Dans les champs environnants, les clichés montrent, entre autres, la préparation à la mise en batterie et au tir d'une compagnie de mitrailleurs. Après les manœuvres, comprenant également la progression avec armes et paquetages et des exercices de secourisme, l'unité rentre au cantonnement pour se laver, y compris dans la rivière, et prendre le repas à même le sol. SPA 41 IS 158, SPA 41 IS 1596 et SPA 41 IS 1591 © Bressolles/ECPAD/Défense. Gilbert Nicolas.

Arrivé en France, le 23 avril 1918, le 371e régiment d'infanterie américain est composé de troupes noires américaines, originaires de la Caroline du Sud. Ces hommes sont détachés auprès de la 34e division d'infanterie française pour servir dans le secteur de la Meuse. Lors de la période de formation, après l'entraînement militaire, la vie quotidienne est ponctuée d'activités musicales et sportives. Ici, au camp de Rembercourt-Sommaisne, le 31 mai 1918, des soldats afro-américains assistent à un match de boxe. À noter que l'arbitre est un blanc. SPA 39 BO 1859 © Maurice Boulay/ECPAD/Défense. Gilbert Nicolas.

Le caporal George Miner, membre du peuple amérindien Winnebago et originaire de l'État du Wisconsin, appartient au 12ᵉ régiment d'infanterie. Ici, en janvier 1919, alors qu'il est en service de garde à Niederahren, en Allemagne, il pose pour le lieutenant Nathaniel L. Dewell, appartenant à *l'US Army Signal Corps* avec son fusil, modèle 1905, équipé de la baïonnette. *Courtesy National Archives and Records Administration*. Annique Browne *(SYA)* et Gilbert Nicolas.

David Bennes Barkley, né à Laredo (Texas), est le fils d'un soldat américain et d'une mexicaine. Abandonné par son père, il doit quitter l'école à treize ans pour travailler. Il s'engage à dix-sept ans dans l'armée américaine en cachant son origine mexicaine. Appartenant au 356ᵉ régiment d'infanterie, il se porte volontaire, en novembre 1918, pour une mission de localisation des positions ennemies, le long de la Meuse. Il doit traverser la rivière à la nage et revenir avec des informations. Au retour, pris d'un malaise, David B. Barkley se noie. La famille pense alors qu'il s'est engagé dans cette action risquée, de peur que ne soit découverte son origine américano-hispanique. En 1919, il reçoit, à titre posthume, la *Medal of Honor*, ainsi que la Croix de guerre française. En 1989, il est officiellement reconnu, par l'armée américaine, comme le premier hispanique ayant reçu la *Medal of Honor* de son pays. Archives *Texas State Cemetery 11240*. William Conte (*SYA*) et Gilbert Nicolas.

Les soldats du 28e régiment de la 1re division d'infanterie américaine partent à l'assaut des positions allemandes, à Cantigny (Somme), le 28 mai 1918. SPA 127 R 4522 © Edmond Famechon/ECPAD/Défense. Gilbert Nicolas.

Les Américains au combat

En avril 1917, les États-Unis ne sont pas en mesure de combattre dans une guerre moderne en Europe. Les états-majors franco-britanniques estiment qu'il faut du temps pour acheminer et former une armée en Europe. Néanmoins, les autorités américaines décident d'envoyer rapidement des troupes à la fin juin 1917, mais le premier engagement au front n'a lieu qu'en octobre 1917. Trois régiments de sapeurs, les 11e, 12e et 14e régiments du génie, soutiennent l'offensive britannique en direction de Cambrai (Nord).

Au début de l'année 1918, le général Pershing espère créer une armée autonome dans un secteur dédié, tandis que les Franco-Britanniques continuent de penser qu'un amalgame des soldats américains dans leurs armées reste la seule solution. Dans le même temps, l'Allemagne espère obtenir une victoire décisive à l'Ouest, avant l'entrée en lice des Américains. Les offensives allemandes du premier semestre 1918 entraînent progressivement les Américains dans la bataille. Des éléments de la 1re DIUS sont engagés pendant l'offensive allemande *Michael*, déclenchée le 21 mars 1918. Le véritable baptême du feu des troupes américaines se solde par un échec. Le 20 avril 1918, deux compagnies de la 26e DIUS sont bousculées à Seicheprey (Meurthe-et-Moselle), non loin de Saint-Mihiel. Cette première affaire de Saint-Mihiel, qui provoque la colère de Pershing, a des conséquences politiques, militaires et psychologiques désastreuses. Exploité par la propagande allemande, l'incident est utilisé par les Français et les Britanniques partisans de l'amalgame, pour illustrer l'incapacité des Américains à tenir un secteur en autonomie, même au plus bas niveau.

Les offensives allemandes de mai et de juin permettent aux Américains de s'illustrer au combat et d'obtenir leurs premiers succès tactiques à Cantigny, du 28 au 31 mai 1918, à Château-Thierry et au Bois Belleau, en juin 1918. Soutenus par des troupes françaises, les Américains, qui n'ont pas encore d'armée, prouvent aux Alliés que leurs soldats sont capables de se battre avec courage et ténacité dans des combats acharnés et que les états-majors peuvent diriger des opérations. Les répercussions sont considérables. Les *Doughboys* font honneur à leur pays, rassurent les Alliés et inquiètent les Allemands.

À la fin juin 1918, les effectifs de toutes les armées sont arrivés au point de rupture, mais les Alliés peuvent compter sur leur supériorité matérielle, sur les renforts de la classe 1919 et, surtout, sur les contingents américains. Si Pershing n'abandonne pas son projet de constituer une armée, il tient également ses engagements envers les Alliés en participant à la défense du front de l'Ouest, face aux offensives allemandes et en relevant des unités françaises dans certains secteurs. Toutefois, l'offensive allemande du 15 juillet 1918 contrarie les projets de Pershing. Les Américains sont sollicités d'abord pour repousser les assaillants puis contre-attaquer en direction de la Marne, entre Soissons, Reims et Château-Thierry, pendant la deuxième bataille de la Marne. De plus, quelques unités combattent sur la Somme avec les Britanniques et, en Belgique, avec les Belges, les Britanniques et les Français.

Pershing est satisfait de ses soldats. Le 10 août 1918, soutenu par Pétain, il annonce la création de la 1re armée américaine. Fort de son succès de l'été et de la supériorité numérique et matérielle alliée, Foch reprend son projet d'offensive sur l'ensemble du front en direction des Ardennes, en septembre 1918. Il entrevoit une victoire décisive en 1919, à condition d'attaquer sans répit les Allemands sur l'ensemble du front et de réduire les saillants, dans le but de faciliter les flux logistiques. Les Américains doivent participer à ces grandes offensives, mais au préalable les troupes américaines reçoivent la mission de réduire le saillant de Saint-Mihiel. Cette offensive, secondaire pour Foch, est capitale pour Pershing. Le 12 septembre, la 1re armée américaine, renforcée par des moyens français, attaque alors que les Allemands évacuent le saillant devenu trop difficile à défendre. En quelques heures, tous les objectifs sont atteints, mais l'armée américaine perd 7 000 hommes. Pershing veut poursuivre, mais Foch ordonne l'arrêt. Ce succès total galvanise le moral de l'armée américaine et son retentissement est considérable. Pershing pense maintenant que son armée est en mesure de participer, en autonomie, à une offensive de plus grande envergure.

À partir du 26 septembre, les alliés déclenchent quatre offensives sur un front de 350 kilomètres, de la Mer du Nord à la Meuse. Les Américains sont engagés massivement. Des troupes franco-américaines frappent entre Verdun et Reims et livrent des combats difficiles dans la forêt d'Argonne et devant Montfaucon. Les Américains butent sur les défenses allemandes et souffrent de difficultés de ravitaillement et de communication. Au sein du haut commandement français, les critiques fusent contre le commandement américain, accusé d'être incapable de mener la bataille. La question de l'amalgame ressurgit au sein des états-majors. Toutefois, l'armée américaine conserve son intégrité mais doit accepter l'idée d'une guerre d'usure jusqu'à la fin octobre. Au terme de combats acharnés, la forêt d'Argonne est conquise au prix de pertes considérables (120 000 hommes dont 22 000 morts).

En dépit des difficultés, Pershing annonce la création d'une 2e armée américaine sur le front de la Woëvre, le 12 octobre. Enfin, et alors que la situation militaire des Américains se rétablit progressivement, Foch confie à Pershing la même autonomie de commandement qu'à Pétain et Haig.

À partir du 1er novembre, l'offensive est relancée à l'Est de la Meuse et entre la Meuse et la forêt d'Argonne. La dernière ligne de défense allemande, la *Freya-Stellung*, est percée à Barricourt (Ardennes). Dès lors, l'armée américaine entame la poursuite de l'armée allemande, franchissant la Meuse, le 11 novembre. En dépit d'une supériorité numérique, les Américains peinent à obtenir un succès décisif, mais ils contribuent à briser la résistance et le moral de l'armée allemande. Enfin, la bataille livrée par les Américains, aux côtés des Français, entre Meuse et Argonne, consacre la pleine implication des États-Unis dans la guerre et dans la coalition. La participation américaine aux autres offensives est plus modeste. À partir du 27 septembre, les alliés attaquent sur le front belge. En octobre et novembre 1918, les 37e et 91e DIUS s'illustrent sur l'Escaut. À partir, du 29 septembre, les Franco-Britanniques attaquent entre l'Oise et Reims et percent la ligne *Hindenburg*. Les 27e et 30e DIUS du 2e CAUS s'emparent du secteur difficile au sud de Vendhuile (Aisne) et de la partie enterrée du canal de Saint-Quentin et du village fortifié de Bony.

Globalement, le bilan de ces offensives est mitigé pour les Alliés, mais elles produisent un effet psychologique indiscutable, qui pousse le commandement allemand à voir comme seule issue à la guerre une demande d'armistice.

Sur mer, la fin de l'année 1917 et 1918 marquent un tournant dans la guerre sous-marine. Les Allemands menacent les points de passage obligés, tels les abords de la pointe de la Bretagne avec l'arrivée des convois américains à Brest et l'embouchure de la Loire avec Saint-Nazaire, autre secteur de chasse des *U-Boote*. Dès l'été 1917, des bases françaises sont cédées à l'*US Navy*, le long des routes suivies par les navires. En novembre 1917, la *Naval Air Station (NAS)* du Croisic devient la première base américaine opérationnelle, suivie de la *NAS* du Finistère. Au début de 1918, d'autres unités sont confiés à l'*US Navy*, dont le terre-plein des Quatre-pompes, de l'arsenal de Brest et le Centre d'aérostation de Paimbœuf. La construction d'établissements pour ballons captifs est engagée à Brest et à La Trinité-sur-Mer. Plus tard dans l'année, de nouvelles *Stations* d'aviation sont encore créées à Fromentine (Noirmoutier, active en août) et à l'Aber-Wrac'h (active fin septembre). Ainsi, au cours de l'année 1918, grâce au renforcement du dispositif, les incursions des sous-marins allemands deviennent beaucoup plus risquées et les commandants de *U-Boote* préfèrent attendre la nuit pour frapper. Mais, à l'approche de l'été, l'allongement des journées et l'entrée en service d'autres stations américaines permettent de contrer les attaques allemandes. À l'été 1918, quelques sous-mariniers expérimentés, à l'instar du *Kapitänleutnant* von Rabenau, commandant l'*U-Boot 88*, choisissent encore de se mettre à l'affût près des côtes, mais ils sont l'exception, tant les risques sont importants. La fin septembre puis le mois d'octobre voient encore quelques submersibles près des côtes de Bretagne, mais chaque fois ils sont pris à partie. L'armistice surprend l'aéronautique maritime, alors que son développement n'est pas encore achevé. Des escadrilles « de haute-mer », équipées d'hydravions multi-moteurs, sont envisagées afin de porter la chasse davantage vers le large. En 1918, il y a 44 bombardements aériens sur des sous-marins en Bretagne, sur un total de 105 pour l'ensemble de l'aviation maritime. Seize sont menées par les Américains, dont quatorze pour la seule *NAS* Île-Tudy.

Au total, à la fin de la guerre, plus de 2000000 soldats américains sont en France, dont 1300000 combattants. Parmi eux, 784000 ont réellement combattu. Equipée et formée à l'européenne, cette armée parvient difficilement à s'affranchir de la tutelle des Franco-Britanniques, d'autant que les premiers engagements sont décevants. Les premiers succès à l'été 1918 et la participation aux grandes offensives ne sont pas négligeables mais ne sont pas déterminants au plan militaire. Au total, les pertes militaires américaines sont bien inférieures à celles des autres belligérants. Sur plus de 4 millions d'hommes mobilisés, les États-Unis perdent environ 116000 hommes, dont 53000 au combat, 63000 des suites d'un accident ou d'une maladie, environ 210000 blessés et près d'un millier de civils, morts en mer principalement. Au total, les pertes militaires américaines représentent moins de 2 % des pertes militaires alliées.

Michaël Bourlet, Thierry Le Roy et Gilbert Nicolas

La première bataille d'importance pour les Américains est celle de Cantigny (Somme). Le 28 mai 1918, les soldats du 28e régiment d'infanterie de la 1re division (*Big Red One*), en dépit de tirs de barrage allemands, parviennent à prendre le village. Au cours des combats, ils sont soutenus par des chars français Schneider du 5e groupe d'artillerie spéciale. SPA 127 R 4532 © Edmond Famechon/ECPAD/Défense. Gilbert Nicolas.

À Rocquencourt (Oise), après la bataille de Cantigny (28 mai 1918), le colonel Hanson Edward Ely (1867-1958), commandant le 28e régiment américain de la 1re division d'infanterie (*Big Red One*), pose avec ses officiers, parmi lesquels des Français, chargés de la liaison entre les unités américaines et françaises. Cette attaque marque le premier succès militaire officiel des soldats américains sur le front de l'Ouest et vaut au colonel Ely le surnom de « *Ely of Cantigny* ». SPA 91 V 2819 © Henri Bilowski/ECPAD/Défense. Gilbert Nicolas.

Le 13 juin 1918, alors que les Allemands menacent les routes menant à Paris, près de Sammeron, sur la rive gauche de la Marne, à une soixantaine de kilomètres de la capitale, des troupes américaines font halte sur la route qui mène aux premières lignes. Afin d'obtenir une vue en perspective de la longue colonne des soldats, un opérateur français de la SPCA (Section photographique et cinématographique des armées) s'est hissé sur le dos d'un collègue. SPA 127 S 4601 © Emmanuel Mas/ECPAD/Défense. Gilbert Nicolas.

Ce même 13 juin, dans le secteur de La Ferté-sous-Jouarre, les troupes américaines, en marche vers le front de l'Aisne, font halte sur les bords de la Marne. L'un des soldats sort son appareil de poche et prend quelques clichés. SPA 127 S 4599 © Emmanuel Mas/ECPAD/Défense. Gilbert Nicolas.

Depuis le 15 juillet 1918, la deuxième bataille de la Marne est engagée. Le 18 juillet, la contre-offensive franco-américaine commence, en particulier dans le secteur de Château-Thierry. Deux jours plus tard, à l'arrière du front, des blessés américains attendent, à Pierrefonds (Oise), leur évacuation vers des hôpitaux de campagne. À partir de l'évacuation des civils du village, le 11 juin, les Américains font de Pierrefonds un lieu de cantonnement et y installent un poste de secours. SPA 55 W 2332 © Jacques Ridel/ECPAD/Défense. Gilbert Nicolas.

Le 17 juillet 1918, près de Senoncourt (Haute-Saône), des artilleurs américains, casque *Brodie* sur la tête, mettent en batterie un obusier BL 8-inch Howitzer, arme principalement fabriquée en Grande-Bretagne. Cette pièce d'artillerie est également utilisée par des unités australiennes et canadiennes. Ces soldats américains appartiennent à *l'US Army Coast Artillery Corps* (initiales *CAC*, indiquées à l'arrière-plan) et sont spécialisés dans le service de l'artillerie lourde, de l'artillerie sur rail et de l'artillerie antiaérienne. SPA 47 BO 2101 © Maurice Boulay/ECPAD/Défense. Gilbert Nicolas.

La contre-offensive alliée, menée pendant la seconde bataille de la Marne, permet la reconquête de la « poche » de Château-Thierry. Après un intense pilonnage de l'artillerie et des combats de rues, la ville est reprise à l'ennemi. Le 22 juillet 1918, au centre de la ville, partiellement détruite, deux soldats américains posent devant les restes d'une barricade allemande avec, à l'arrière-plan, l'hôtel de ville. Quinze ans plus tard, en souvenir de la participation américaine aux combats, est édifié, sur la cote 204, à trois kilomètres à l'ouest de Château-Thierry, un monument commémoratif, offrant une vue panoramique sur la vallée de la Marne. SPA 44 BO 2003 © Maurice Boulay/ECPAD/Défense. Gilbert Nicolas.

Au début du mois d'août 1918, les Américains parviennent à libérer la ville de Fismes (Marne), aux mains des Allemands depuis le 28 mai précédent. Les combats sont acharnés, se déroulant rue par rue, maison par maison, et se soldent par d'énormes pertes (plus de 13 500 tués, dont 5 300 hommes de la 28e division de Pennsylvanie). Le 12 septembre 1918, dans ce même secteur stratégique de Fismes, des soldats américains montent en ligne, afin de poursuivre l'offensive des Alliés. Casque sur la tête, les fantassins portent le pantalon-culotte, resserré sous le genou par un laçage, ainsi que des bandes molletières, au-dessus des brodequins. Le long havresac, sur lequel est fixée une pelle individuelle, contient deux jours de vivres. La partie inférieure du sac, amovible, contient toile de tente, couverture et quelques vêtements de rechange. SPA 13 AD 367 © Daniau/ECPAD/Défense. Gilbert Nicolas.

Le 8 septembre 1918, une cérémonie militaire franco-américaine est organisée pour rendre hommage aux soldats américains, tombés lors de la bataille du Bois Belleau, près de la Marne. En effet, sur ces lieux, à l'issue de plus de trois semaines de combats acharnés (1er au 26 juin 1918) auxquels participe la seconde division américaine *Indianhead*, composée du 23e régiment d'infanterie et de la 4e brigade de *Marines*, commandée par le général James G. Harbord, les Américains l'emportent sur les Allemands. Jusqu'à la Seconde Guerre mondiale, cette bataille détint le record du nombre de soldats américains tués. Dans un ordre du jour de 1918, le général Degoutte désigne le lieu de la bataille sous le nom « bois de la Brigade des Marines ». SPA 67 X 2791 © Joly/ECPAD/Défense. Gilbert Nicolas.

Début septembre 1918, une grande offensive alliée envoie contre les Allemands 216 000 Américains et 48 000 Français. Le 13 septembre, sur la route de Regniéville-en-Haye (Meurthe-et-Moselle), au cœur du triangle Verdun-Toul-Metz, un convoi de l'armée américaine se met en place. Les Américains disposent de chars Renault FT, plus souples d'emploi que les chars précédents. Blindage épais, chenilles propulsives débordantes à l'avant, armement sur tourelle pivotante, moteur Renault 35 CV à l'arrière en font une arme de combat moderne, déterminante dans les derniers mois de la guerre. SPA 1 SL 14 © Auguste Saurel/ECPAD/Défense. Gilbert Nicolas.

Progression de colonnes de soldats américains, poussant les Allemands à la retraite, dans la zone du saillant de Saint-Mihiel. Document non daté (vraisemblablement septembre 1918). *Courtesy of Harry S. Truman Library*, 65-4050. Gilbert Nicolas.

Canonniers américains appartenant au 23e régiment d'infanterie de la 2e division, servant un canon de 37 mm, dans la forêt d'Argonne, lors de l'offensive contre les Allemands, à l'automne 1918. Arme mobile, utilisant des projectiles peu encombrants, facile à dissimuler, au tir précis, le canon de 37 mm se révèle très efficace, lors des offensives, en particulier contre les mitrailleuses. Document non daté (entre septembre et novembre 1918). *Courtesy of Harry S. Truman Library*. 65-4020. Daniel Shleifer (*SYA*) et Gilbert Nicolas.

Le 14 septembre 1918, à l'issue de la bataille de Saint-Mihiel, alors que la presse annonce la capture, par les Américains, de 13 250 Allemands et de 460 canons, des soldats du 166e régiment d'infanterie consomment la nourriture récupérée dans une tranchée allemande. Au menu, pain, jambon et cornichons. *Courtesy of Harry S. Truman Library.* Gilbert Nicolas.

Les Américains, qui participent à l'offensive Meuse-Argonne dans le secteur de Verdun, à partir du 26 septembre 1918, repoussent les Allemands et font de nombreux prisonniers. En octobre 1918, près de Samogneux, dans un paysage dévasté par les combats, des prisonniers allemands, reconnaissables à leur casque d'acier (*Stahlhelm*) ou à leur béret de campagne avec cocarde (*Feldmütze*) sont conduits vers l'arrière. Plusieurs d'entre eux portent le brassard de la Croix-Rouge. SPA 79 Y 3685 © Ernest Baguet/ECPAD/Défense. Gilbert Nicolas.

Le 1er octobre 1918, alors que sévit l'épidémie de grippe espagnole, particulièrement virulente à Brest, deux acteurs essentiels de la protection des convois américains lors de leur arrivée sur les côtes françaises posent ensemble. L'amiral Henry B. Wilson, à droite, exerce alors le commandement des forces navales américaines en France. À ses côtés, se tient l'amiral Schwerer, commandant des patrouilles de Bretagne, chargées de mener la lutte contre les sous-marins allemands. Dans l'entre-deux-guerres, l'amiral Schwerer s'engage politiquement dans les rangs de l'Action Française dont il est une figure de premier plan. SPA 155 R 5266 © Edmond Famechon/ECPAD/Défense. Jean-Marie Kowalski.

Le 30 septembre 1918, en rade de Brest, des marins américains installent des grenades sous-marines sur le pont de l'*USS Rambler.* Ancien yacht civil, construit en 1900, acquis par l'*US Navy*, en août 1917, l'*USS Rambler* est reconverti dans la lutte contre les sous-marins allemands. Long de 54 mètres, il est équipé de deux canons de 3 pouces/50, armement standard de la marine de guerre américaine. À l'été 1918, il est chargé de patrouiller entre le port de La Pallice et Brest. L'*USS Rambler* poursuit ses missions pour la marine de guerre américaine jusqu'à l'été 1919. Sur le cliché, à l'arrière-plan, est amarré l'*USS Bridgeport*, destroyer ravitailleur, ancien bâtiment allemand (*Breslau*, 1901-1917). SPA 155 R 5249 © Edmond Famechon/ECPAD/Défense. Gilbert Nicolas.

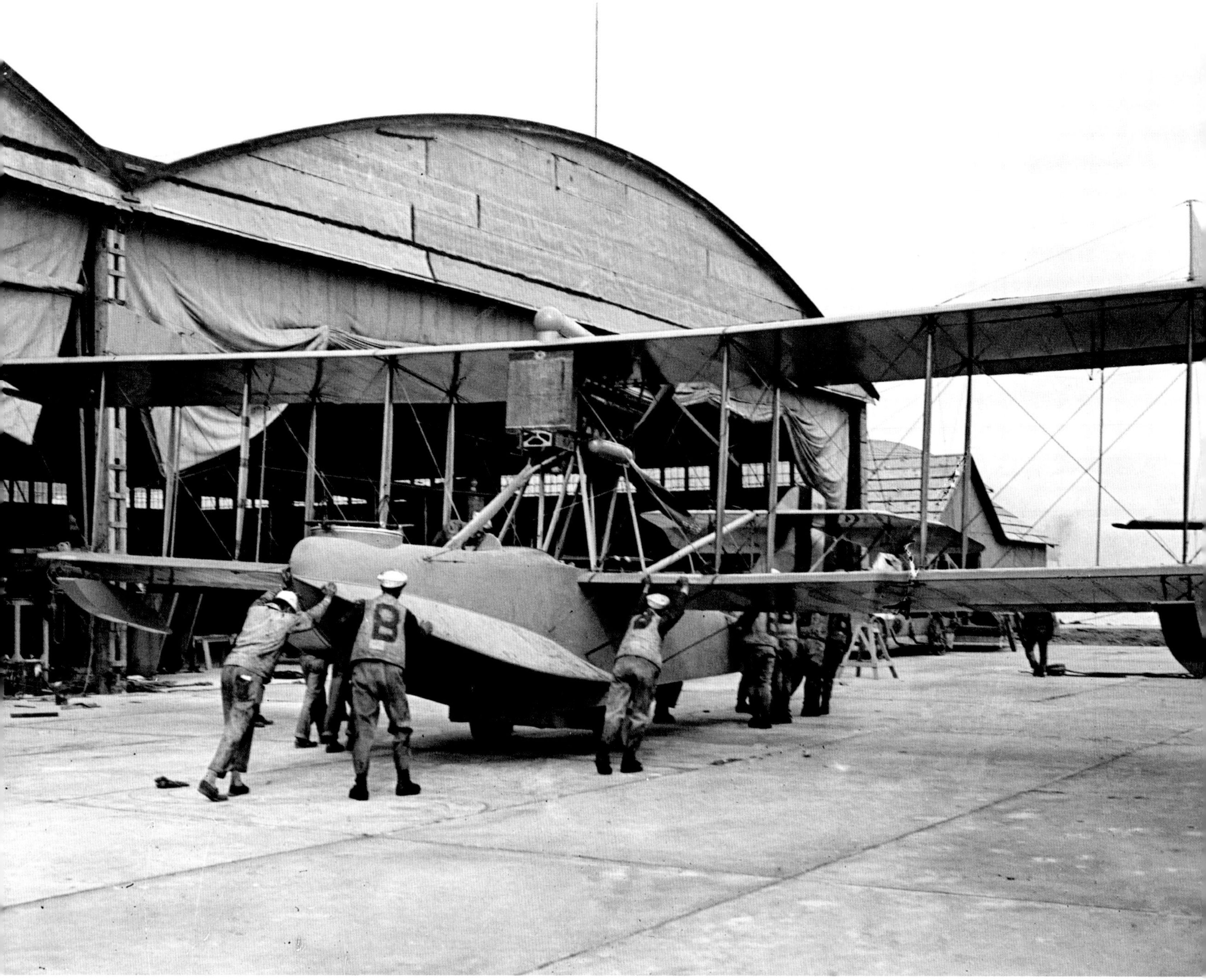

À la fin de 1918, des hommes manœuvrent à terre un hydravion *Curtiss HS*, sur le terre-plein de Laninon, à Brest. Soixante-quatre appareils de ce type, arrivés en caisses depuis les États-Unis, sont montés puis essayés en rade de Brest, avant d'être livrés, à partir de l'été 1918, aux unités combattantes, réparties le long des côtes de Bretagne (Île-Tudy, Aber-Wrac'h puis Tréguier). Quatre-vingt-douze autres sont montés à Pauillac pour les *NAS* du Golfe de Gascogne (notamment Fromentine, Saint-Trojan, Arcachon, Moutchic). La puissance de son moteur *Liberty* 360 CV permet au *Curtiss HS* d'emporter trois hommes et 200 kg de bombes. SPA 152 R 5212 © Edmond Famechon/ECPAD/Défense. Thierry Le Roy.

Un hydravion Tellier 200 HP de la *NAS (Naval Air Station)* Le Croisic, vu depuis son sectionnaire, pendant une patrouille au large. Cet hydravion, de construction française, équipe les premières unités de l'aviation navale américaine. La lettre C sur le fuselage désigne la base de rattachement. Contrairement aux autres unités créées ensuite, la *NAS* Le Croisic n'utilise que des matériels d'origine française (hydravions Tellier, Donnet-Denhaut et George-Lévy). *Naval History and Heritage command.* Thierry Le Roy.

Le ballon Astra-Torrès P-4, au dessus d'un convoi au large des côtes de Bretagne. Le 1er octobre 1918, alors qu'il est en escorte au sud du plateau du Four (ouest du Croisic), l'aérostat est pris pour cible par un sous-marin (l'U-91 du commandant Alfred von Glasenapp est dans ce secteur et coule onze navires, en deux semaines), qui lui adresse quatorze obus mais sans le toucher. *Coll. Naval History and Heritage Command.* Thierry Le Roy.

Evan Jones Miller sur le *Finland*, assis sur un cabestan, lors de la traversée vers la France, août 1917. À l'arrière-plan, un gros guindeau et un soldat dormant sur le pont. Collection famille Miller.

Portraits d'Américains dans la Grande Guerre

Avec la Première Guerre mondiale, la photographie atteint l'âge de la maturité. Elle n'est plus seulement l'exclusivité de photographes professionnels, mais elle est également accessible aux amateurs. Les portraits de philanthropes millionnaires, tel Charles Coffin, réalisés par les laboratoires professionnels américains, côtoient les clichés d'officiers ou de soldats des organismes officiels, déjà existants ou créés pendant le conflit pour soutenir la propagande de guerre ou couvrir les opérations militaires. Si les États-Unis disposent des photographes du *Signal Corps*, l'armée française est en capacité de réaliser des milliers de photos sur plaques de verre, lors de reportages de sa toute jeune Section photographique de l'Armée (SPA). Ainsi, est conservée la mémoire de généraux ou amiraux célèbres, tels le général John Pershing ou l'amiral Albert Gleaves, par exemple, mais également celle de combattants anonymes ou d'officiers ayant participé aux grandes batailles ou encore celle des as de l'aviation, tel l'aviateur franco-américain, Raoul Lufbery.

À titre individuel, les officiers généraux, supérieurs et subalternes, les sous-officiers et les simples soldats sont photographiés. Les cartes d'identité militaires, à l'instar de celle du matelot de deuxième classe, Harry St Clare Wheeler, arrivé à Brest en 1917, constituent une source iconographique importante. Mais le matelot Wheeler et beaucoup d'autres Américains, membres de l'*American Expeditionary Force*, disposent de petits appareils qu'ils utilisent pour collecter des souvenirs de leur passage en France. Ainsi, Evan Jones Miller, dont la famille conserve précieusement son petit appareil, possède un *Vest Pocket Kodak*, fabriqué dans les années 1900, vanté par la publicité de l'époque comme « *the soldier camera* » (appareil photo du soldat) et vendu à presque deux millions d'exemplaires. Cet appareil, qui a l'avantage d'être compact, discret et léger (un peu plus de 300 grammes) n'est d'ailleurs pas l'exclusivité des combattants américains. Il est largement utilisé dans d'autres pays, dont la France. En dépit du contrôle des autorités du temps de guerre sur les photos, il semble que les autorités militaires américaines, y compris le général Pershing, aient été plus tolérantes que celles de l'armée française. Cette période de la Grande Guerre, en dépit des contraintes techniques, a constitué un véritable âge d'or de la photographie et permet d'offrir, à l'historien et au grand public contemporain, une grande diversité de portraits.

Gilbert Nicolas

Le *Vest Pocket Kodak* du sergent Evan Jones Miller. Collection famille Miller.

CERTIFICATE OF SERVICE

1914 1918

AMERICAN FIELD SERVICE IN FRANCE

To

Mr C. A. Coffin

friend of the
American Field Service
donor of car No 498
bearing inscription

"C. A. Coffin"

Ambulance No 498 left for the front March, 1917, to form part of Section Sanitaire No 14, operating in the Verdun Sector at Montgrignon, two miles from the town of Verdun. Later, the Section moved to the Champagne Sector, to the right of Rheims, and cantoned at Mourmelon le Petit, it evacuated wounded from the "postes de secours" of Prosnes, Constantine, and Moscou, during the attack of May, 1917, at Mt Cornillet. For distinguished conduct under fire, the Section was cited to the Order of the Division. When the American Field Service was federalized, this car was turned over to the United States Army Ambulance Service with the French Army.

SERVICE AUX ARMÉES

SERVICE AUTOMOBILE AMÉRICAIN AUX ARMÉES FRANÇAISES · AMERICAN FIELD SERVICE · HEADQUARTERS

Henry D. Sleeper
Director

Devambez. G. Paris.

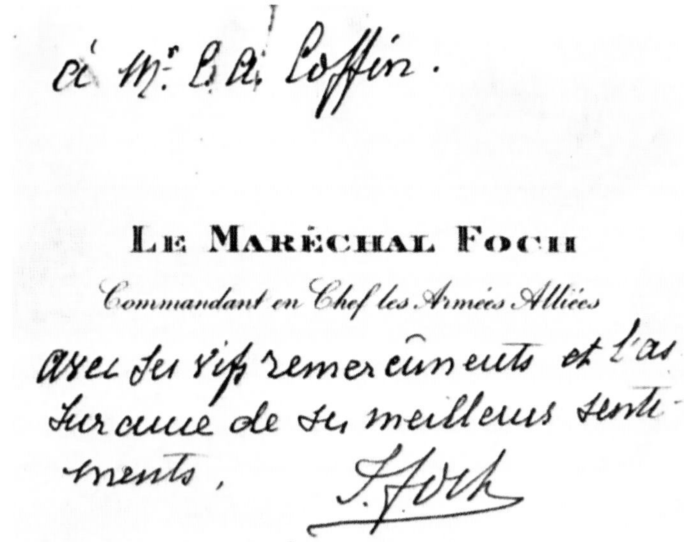

à Mr C. A. Coffin.

LE MARÉCHAL FOCH

Commandant en Chef les Armées Alliées

avec ses vifs remerciements et l'assurance de ses meilleurs sentiments, F. Foch

Parmi les nombreux philanthropes américains, qui consacrent leurs efforts et leur argent à l'aide de la France, figure Charles Albert Coffin (1844-1926), ci-contre avec l'un de ses petits-enfants, pendant l'entre-deux-guerres. Co-fondateur et premier président de la *General Electric*, membre du comité exécutif du *War Relief Clearing House for France and Her Allies*, une agence qui fournit de l'aide aux combattants alliés, Charles Albert Coffin multiplie les actions caritatives, y compris en faisant don d'une ambulance à *l'American Field Service* en France. Généreux avec la Croix-Rouge française, il est, dès janvier 1916, nommé membre du comité de Romorantin (Loir-et-Cher). En juin 1918, il est fait officier de la Légion d'honneur. Sur une carte de visite, le maréchal Ferdinand Foch lui adresse des remerciements, en février 1919. Collection famille Childs. Alice Collins et Gilbert Nicolas.

ORDRE NATIONAL DE LA LÉGION D'HONNEUR.

HONNEUR. PATRIE.

Le Grand Chancelier de l'Ordre National de la Légion d'Honneur

certifie que, par Décret du huit Juin mil neuf cent dix-huit,

Le Président de la République Française

a conféré à M. Charles A. Coffin, Citoyen Américain,

Directeur Général du "National Allied Committee",

la Décoration de Officier de l'Ordre National de la Légion d'honneur.

Fait à Paris, le 8 Juin 1918.

Gal Florentin

~~Par le Grand Chancelier~~

~~Le Secrétaire général de l'Ordre~~

Vu, scellé et enregistré, N° 19.780

Le Chef du 1er Bureau,

Harry St Clare Wheeler, naît le 23 juillet 1899 à Newville, petite ville de pionniers du nord de la Californie. Il passe son enfance et son adolescence à Corning, ville qui se développe grâce à la compagnie de chemin de fer « *Sacramento Valley* ». Le 27 juin 1917, à 18 ans, Harry St Clare Wheeler s'engage comme 2e classe dans l'aviation maritime *(Navy Air Service)*. Il arrive à Brest, en novembre 1917, et lors de son séjour prend de nombreuses photographies de Brest et de ses environs. Il sert également à Saint-Nazaire. De retour aux États-Unis, il se marie en 1920. Très apprécié dans la commune de Corning (Californie), il y meurt à 50 ans, en avril 1939. Collection famille Wheeler. Christine Berthou-Ballot.

No. 545
HEADQUARTERS
Quartier Général
HOTEL D'IÉNA, PLACE D'IÉNA, PARIS
United States Naval Aviation Force
FOREIGN SERVICE
Aviation Maritime des Etats Unis Services Expéditionnaires
IDENTITY CARD
Carte d'Identité
NAME *Nom* H. S. Wheeler
RANK OR RATE *Grade* MM 2 cl
DUTY *Fonction*
Lieut. U.S.N.
H. CLARKE, 338, R. ST-HONORÉ - 173
Upon relief from duty the holder must turn in his card to his base headquarters.

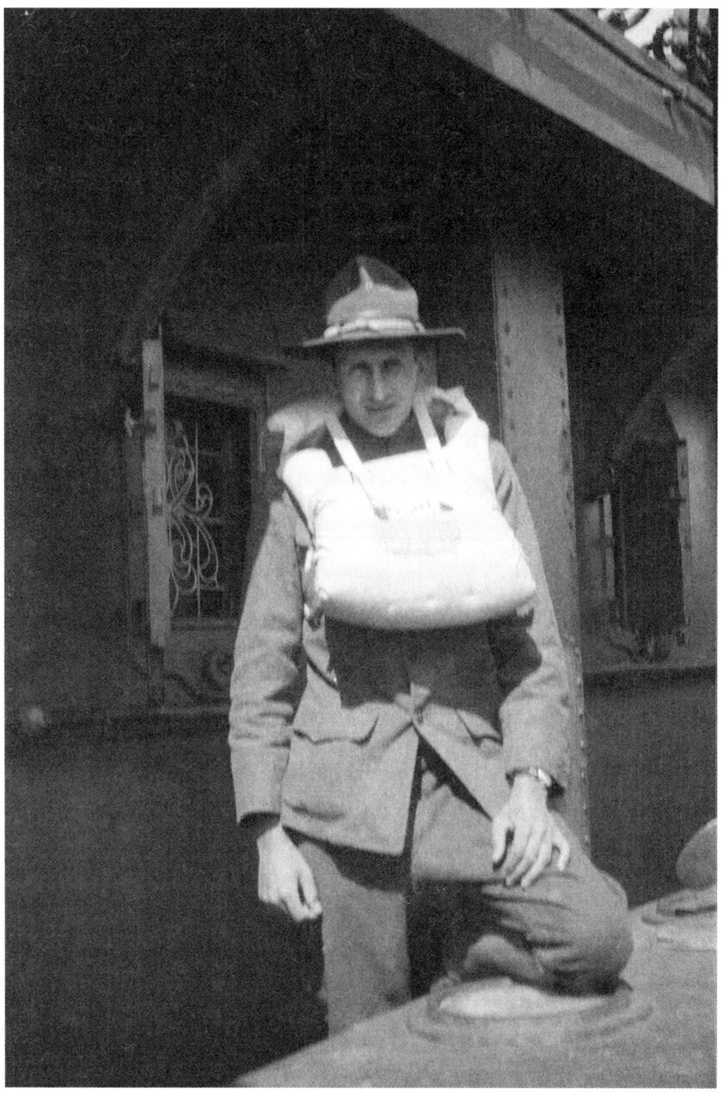

Né le 6 janvier 1897, à Harrisburg (Pennsylvanie), Evan Jones Miller fait des études à l'université de Princeton, fréquente la *New York Post Graduate Medical School* et s'enrôle dans l'armée, le 22 mai 1917, en tant que simple soldat. Après une traversée à bord du *Finland*, marquée par une attaque de *U. Boot*, il arrive à Savenay, le 21 août 1917. Dans cette commune, il passe dix-neuf mois comme infirmier radiologue et photographe officiel du *US Army Base Hospital 8*. Ses clichés, pris avec son *Vest Pocket Kodak* personnel ou avec le *Graflex* de l'hôpital concernent les installations, le personnel, les officiers et hommes de troupe, les patients et la campagne environnante. Pour les besoins du matériel photographique et radiologique, il effectue plusieurs voyages sur le territoire français. Durant l'été 1918, il accompagne 200 soldats atteints de psychose post-traumatique, lors de leur rapatriement aux États-Unis (Hoboken). En septembre 1918, il est promu au grade de sergent. Il quitte la France, le 24 mars 1919. Collection Deborah Woodcock, petite-fille du sergent Miller. Odette Guibert.

Pauline Gasquet-James naît à Esopus (État de New York), en 1887. À 22 ans (1909), elle épouse, à Taden (Côtes-du-Nord), Henri de La Choué de la Mettrie. Alors que son mari est mobilisé, en 1914, Pauline, avec ses propres fonds, fait venir des infirmières américaines pour aider les blessés de guerre. Celles que les soldats appellent « les Miss », sont d'abord bénévoles dans les hôpitaux de Rennes, puis de Paris, avant d'être incorporées comme militaires dans des hôpitaux d'évacuation, sur le front. Pour sa bravoure, Pauline de la Mettrie est décorée de la Croix de guerre, en 1917, et est nommée chevalier de la Légion d'honneur, en 1920, puis reçoit la Croix du combattant, en 1930. Joël David.

Jane Arminda Delano, ici en tenue de la Croix-Rouge américaine, naît le 12 mars 1862. Infirmière diplômée du *Bellevue Hospital of Nursing*, à New York, elle est nommée, en 1909, chef du corps des infirmières de l'armée américaine. Elle devient également présidente du tout nouveau Comité national des infirmières de la Croix-Rouge américaine. En 1912, elle renonce à ses fonctions dans l'armée pour se dévouer, à plein temps, comme volontaire de la Croix-Rouge. Pendant la guerre (1917-1918), elle demeure aux États-Unis pour s'occuper de l'administration des infirmières, parties en Europe. Après l'armistice, elle part pour une tournée d'inspection des hôpitaux, tombe malade et meurt à l'hôpital de Savenay, le 15 avril 1919. L'année suivante son corps est rapatrié aux États-Unis. Il repose, aujourd'hui, au cimetière national d'Arlington. Photos *Courtesy US National Library of Medicine*. Odette Guibert et Gilbert Nicolas.

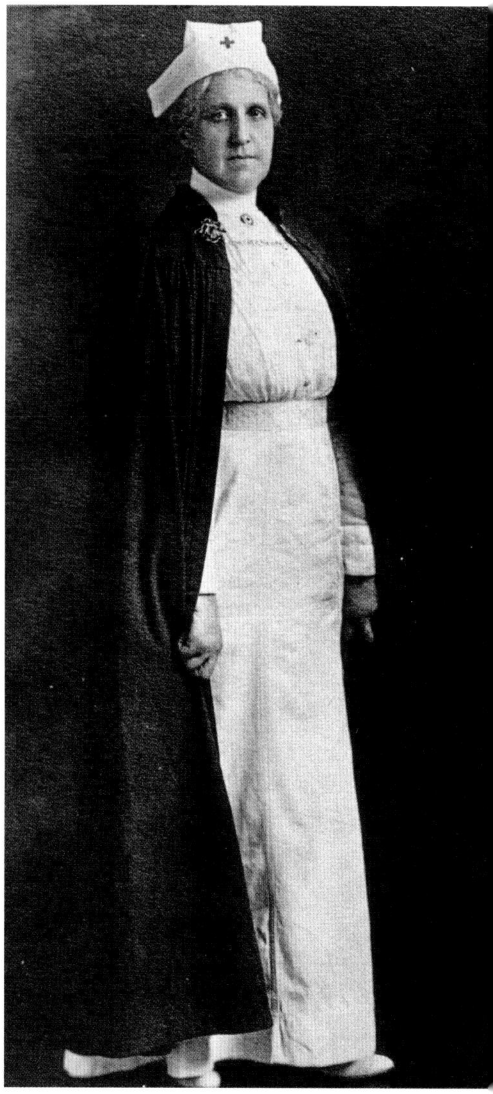

L'Américaine Miss Winifred Holt (1870-1945) est sensibilisée à la question des aveugles lors d'un voyage en Italie. De retour aux États-Unis, elle fonde avec sa sœur, en 1903, la *New York Association for the Blind*. Lors de la Grande Guerre, elle crée une œuvre pour les aveugles, *Le Phare*, installée à Bordeaux (juin 1915), rue Daru, à Paris (mars 1916) et à Sèvres (janvier 1918). Des aveugles de guerre sont initiés, entre autres, à la sculpture. Présidente du Comité franco-américain des aveugles de la guerre, Miss Holt rend visite, le 12 mars 1918, à des soldats aveugles, travaillant à la manufacture de Sèvres. Ce comité franco-américain se charge également de réunir des fonds nécessaires pour venir en aide aux mutilés de guerre et aux populations civiles, touchées par la guerre. SPA 32 BO 1608 © Maurice Boulay/ECPAD/Défense. Gilbert Nicolas.

Wibb Earl Cooper naît en 1885 dans le Tennessee, au sein d'une famille modeste. Orphelin de père, il réussit brillamment ses études de médecine en 1907 et, l'année suivante, s'engage dans la Garde nationale, puis dans l'armée. Après l'entrée en guerre des États-Unis, il est responsable de la sélection, de l'organisation et de la formation du personnel du service médical. Arrivé à Saint-Nazaire, en août 1917, il est chargé de diriger le *Base Hospital* de Savenay, qui devient très vite le centre de tri et d'évacuation des patients de l'*AEF* vers les États-Unis. L'expansion considérable de l'établissement, la gestion de nombreux services, des patients et du personnel sont une lourde tâche pour cet homme de 32 ans. Il considère d'ailleurs cette période de la Grande Guerre comme le sommet de sa carrière militaire. Au cours de la Seconde Guerre mondiale, il est présent lors de la bataille de Corregidor (Philippines) et gère l'hôpital du fameux tunnel de Malinta. Fait prisonnier, il est libéré, en août 1945. Jusqu'en juin 1955, il est directeur de la maison de retraite des anciens combattants à Nashville. Il décède le 11 février 1983, à 98 ans, et est inhumé au cimetière national d'Arlington. Collection famille Cooper. Légende, Jane Cooper, petite-fille du colonel et Odette Guibert.

Né en juin 1893, à Rochester (État de New York), le lieutenant Earl Keenan appartient au 306ᵉ régiment d'artillerie de la 77ᵉ division américaine, en France. Aéronaute, il est affecté dans plusieurs compagnies de ballons. Au cours des derniers mois de la guerre, son aéronef est plusieurs fois touché et Earl J. Keenan est également victime des gaz. Il est démobilisé, le 1er octobre 1919 et meurt, en juin 1947, à 54 ans. Collection famille Bowllan. John Bowllan (*SYA*) et Gilbert Nicolas.

Né en 1892, d'origine moldave, Samuel Bierman fuit les pogroms avec sa famille et émigre aux États-Unis, en 1906. Il devient ingénieur et est naturalisé américain, en 1913. Il se porte volontaire pour aller combattre en Europe, en juin 1918 et se marie, le 3 septembre suivant. Soldat au 50e régiment d'artillerie côtière, il débarque à Brest, en octobre 1918, et séjourne au camp de Pontanézen. Transféré, du 30 octobre au 27 novembre, au camp Guthrie de Montoir-de-Bretagne, il participe à la remise en état des infrastructures : routes, chemins de fer, etc. Les conditions météorologiques étant très dures, il tombe gravement malade. Il retourne à Pontanézen, fin novembre, et demeure à Brest jusqu'à la fin de la guerre. De retour au pays, il arrive à Hoboken (New Jersey), grand port d'embarquement et de débarquement des troupes américaines, le 13 février 1919. Samuel Bierman meurt en juin 1965 et repose au cimetière national d'Arlington (Virginie). Collection Brock Bierman. Michel Mahé.

Né en 1893, Dewitt C. Mason est affecté, entre 1917 et 1919, au camp de Gron, à Montoir. Il se lie d'amitié avec plusieurs jeunes filles françaises du village proche. Après la guerre, une correspondance de deux décennies s'engage avec l'une d'elles, devenue femme mariée. Employé à la *Greenville National Exchange Bank* (Texas), il aide financièrement le couple dans le besoin, après la Seconde Guerre mondiale. La correspondance, reprise par l'un des enfants du couple, dure jusqu'en 1958. Ces échanges épistolaires s'interrompent par la suite. Dewitt C. Manson meurt en 1975 et repose au *Memoryland Memorial Park* de Greenville (Texas). Photo et texte Michel Mahé.

Samuel Clark Harvey (sur la photo en tant que commandant [*Major*] de l'armée américaine, en 1919), naît dans le Connecticut, en 1886. Étudiant de l'université de Yale, docteur, il est repéré et recruté par le grand Williams Harvey Cushing (1869-1939), pionnier de la chirurgie du cerveau. Il exerce d'abord à l'hôpital de Boston (*Peter Bent Brigham Hospital*) puis, pendant la guerre en France, W. H. Cushing lui confie la charge de chirurgien militaire à l'hôpital mobile n° 6, où il pratique la neurochirurgie. Au cours de la guerre, il passe du grade de lieutenant au grade de commandant. Après le conflit, revenu à la vie civile, il est chef du département de chirurgie à l'université de Yale (1922-1947). Très attentif à ses étudiants, aux méthodes d'apprentissage de la chirurgie et à la qualité des recherches, Samuel Clark Harvey est considéré comme un pédagogue exceptionnel et un chirurgien au rayonnement international. Chirurgien oncologue (1947-1952), auteur de nombreux articles, il est élu président de l'Association américaine de chirurgie (1950). Il meurt, en août 1953. Collection famille Guion. Légende Eliza Guion et Gilbert Nicolas.

James Morison Faulkner (1898-1980) s'engage en avril 1917 dans l'armée américaine. Âgé de dix-huit ans, il est affecté au 101e régiment du génie (*101st Engineers*). Blessé au Chemin des Dames, le 18 mars 1918, deux mois avant la grande offensive allemande dans ce même secteur, il reçoit la Croix de guerre française avec étoile, qu'il arbore avec fierté sur son uniforme américain. Collection famille Guion. Légende Eliza Guion et Gilbert Nicolas.

Symbole de la présence américaine auprès de l'aviation française, avant l'entrée en guerre officielle des États-Unis, ce cliché du 14 mai 1916, pris sur la base de Luxeuil-les-Bains (Haute-Saône). À gauche, le lieutenant Alfred de Laage de Meux (1891-1917), commandant en second de l'escadrille franco-américaine N 124, future escadrille La Fayette, mort pour la France, en mai 1917. À droite, le sergent américain, Norman Prince (1887-1916), pilote volontaire ayant participé, en 1915-1916, à plus de 120 combats aériens, mort des suites de ses blessures, au retour d'une mission, le 15 octobre 1916. Promu sous-lieutenant, titulaire de la Croix de guerre et de la Légion d'honneur, Norman Prince est enterré dans la cathédrale nationale de Washington. SPA 20 P 230 © Gabriel Boussuge/ECPAD/Défense. Gilbert Nicolas.

William Nelson Cromwell (1854-1948), ici en 1923 avec le général Pau, président de la Croix-Rouge, est un jurisconsulte américain. Associé au sein d'un grand cabinet d'avocats d'affaires, son nom est lié au percement du canal de Panama et à la création de l'*United States Steel Corporation*. Après la Grande Guerre, il contribue au financement du musée de la Légion d'honneur, à Paris (1925), à l'édification de monuments commémoratifs, tel le Mémorial de l'Escadrille La Fayette, construit de 1926 à 1928. Il aide également à la reconstruction de l'industrie de la dentelle (École dentellière de Bailleul, inaugurée en 1927) et fait de nombreux dons aux œuvres (enfance malheureuse, rééducation des aveugles, etc.). Le gouvernement français lui accorde une promotion rapide dans la Légion d'honneur, puisque, entre 1920 et 1923, il passe du grade de chevalier à celui de commandeur. Cliché Gallica, Bibliothèque nationale de France (24). Gilbert Nicolas.

Chapitre IV

Les Américains et la Bretagne

Christine Berthou-Ballot, Samuel Boche, Valentin Bogard, Alain Boulaire, Roch Chéraud, Joël David, Odette Guibert, Véronique Guitton, Éric Joret, Jean-Marie Kowalski, Xavier Laubie, Thierry Le Roy, Michel Mahé, Gilbert Nicolas, Claudia Sachet

Au pardon de Notre-Dame de la Clarté en Combrit, deux marins américains parmi les fidèles. Collection musée départemental breton, Quimper.

La présence américaine en Bretagne, pendant la Première Guerre mondiale, revêt, à la lumière des études récentes, une dimension longtemps occultée par le second conflit mondial. L'aspect économique de l'installation des troupes américaines en Bretagne et ses résonances dans l'économie de guerre reste à étudier. Sans pouvoir généraliser, quelques lignes de forces se dessinent. Les ports de Brest et de Saint-Nazaire voient les échanges commerciaux bouleversés par la présence permanente des troupes américaines. En revanche, les camps temporaires, et ils sont nombreux bordant les voies de communications, ne perturbent que dans une moindre mesure les réseaux marchands locaux. À Brest, Saint-Nazaire ou Redon, si certains commerçants tirent profit des commandes américaines, le plus grand nombre des habitants subit la flambée des loyers et le renchérissement de nombreuses denrées. Les commerçants et les industriels de Redon n'hésitent pas à prier leur maire de faire « des démarches auprès du commandant de la *155th Brigade* pour que les soldats américains reviennent cantonner dans la ville ! » Le pouvoir d'achat des *Sammies* n'est en rien comparable aux maigres ressources de familles françaises, épuisées par trois années de conflit. À l'issue du conflit, une certaine amertume des *Boys* et de leur encadrement est liée aux prix prohibitifs, exigés par les commerçants français.

Bien sûr, les autorités américaines fournissent du travail, rare à l'époque, à de nombreux civils, dont une majorité de femmes. Faute d'hommes valides, elles assurent le fonctionnement des administrations, des usines d'armement, etc., pour des salaires à la mesure de leur détresse. Comme les Français, les Américains en recrutent beaucoup. Mais, touchés par la misère de beaucoup d'entre elles, souvent réduites à se vendre, ils vont au-delà en initiant, grâce à la Croix-Rouge américaine, une véritable action sociale. Ils ouvrent des maternités, organisent la protection des enfants, donnent de l'argent aux familles. Le soldat américain, « homme généreux et affable », apporte un souffle d'espérance aux populations éprouvées. Anatole Le Braz, qui embarque pour rejoindre la France à plusieurs reprises sur le *Rochambeau* ou le *Niagara* évoque ces jeunes Américains, « ces grands adolescents imberbes, si virils et si enfantins tout ensemble », qui pleurent d'allégresse aux approches de la terre de France. « Et combien y ont été déjà couchés, enveloppés dans les plis de l'étendard aux quarante-huit étoiles », s'empresse-t-il d'ajouter, le cœur serré devant leur sacrifice. Visites officielles, rencontres au sommet se succèdent. Toutes débutent dans un port de l'Ouest, avant que les délégations ne prennent le chemin de Paris et du front, sans négliger les étapes dans les villes bretonnes comme Rennes. Des liens dans l'épreuve se créent. Un aspect de l'arrivée américaine n'est pas à négliger, celle du développement de la motorisation des engins agricoles ou forestiers, à un moment où l'agriculture est privée de main-d'œuvre du fait de la guerre. Aux morts du conflit, s'ajoutent les blessés, les mutilés, bien incapables pour leur grand malheur de retrouver un travail. Le premier tracteur Titan arrive en 1917, en Ille-et-Vilaine, dans la ferme de l'Expérience, située dans les polders du Mont-Saint-Michel. Il montre vite la voie aux paysans bretons.

Ceux que la guerre épargne reprennent le chemin de l'Ouest. Ils séjournent dans les sites d'*Embarkation*, avant de rejoindre leur pays. De cette dernière période de la guerre, datent la plupart des photographies de jeux, promenades, excursions, épreuves sportives, etc. Et comme au Mans, le grand centre de rapatriement, on fixe sur la pellicule la distribution de chocolats et de *doughnuts* (beignets sucrés). Certains soldats et personnels de l'armée américaine, touchés par la beauté intérieure de la Bretagne et décontenancés par le fossé économique et culturel entre les populations des villes portuaires et celles de leurs campagnes environnantes s'engagent sur les routes et, comme Blanche Chloe Grant, photographe de la *YMCA*, rapportent des images émouvantes de femmes bretonnes, de familles, de maisons, etc., parfois révélatrices d'une société bretonne en souffrance.

Éric Joret

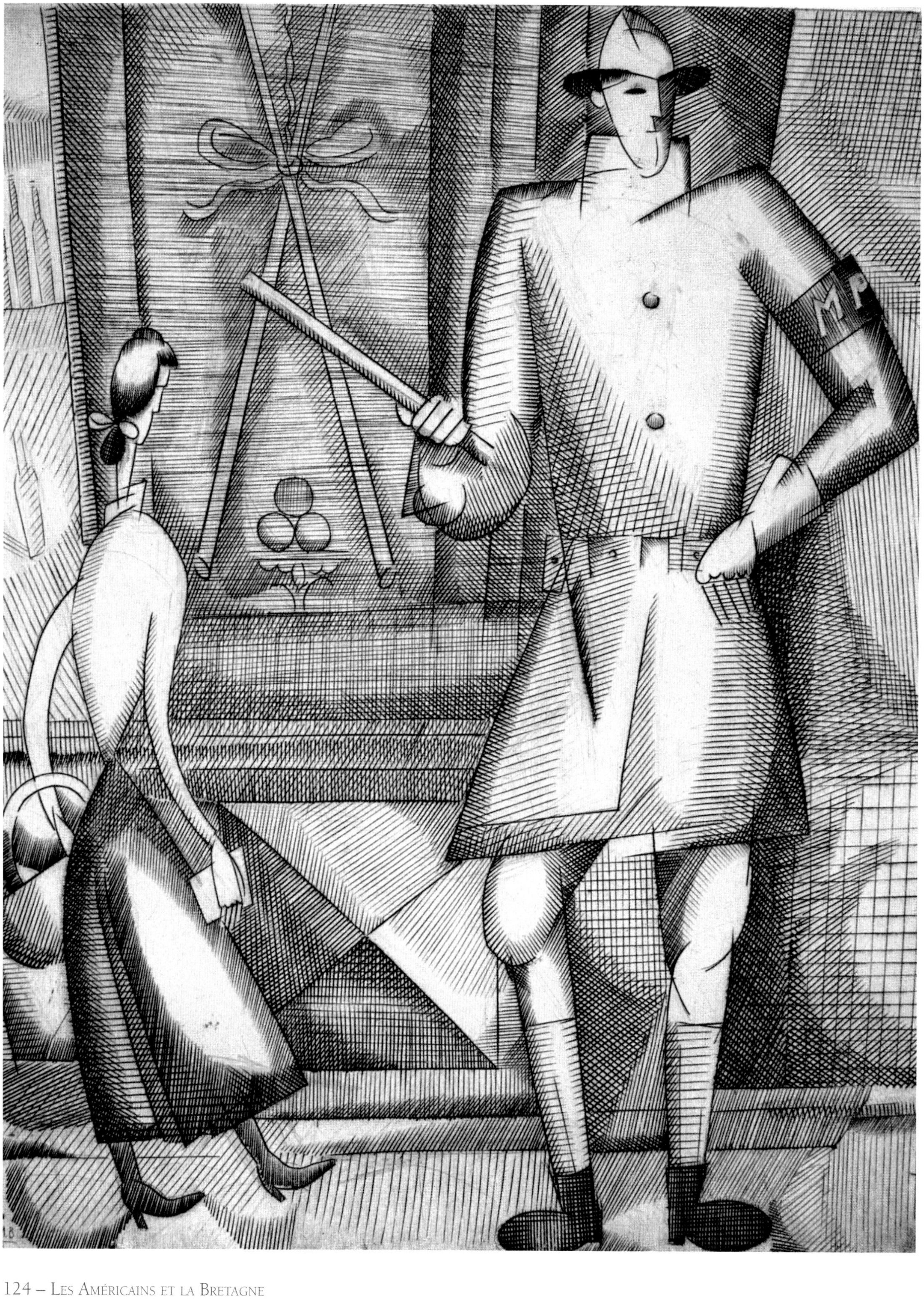
MP

La vie économique et les aléas de la cohabitation

Le quotidien des habitants des ports accueillant des troupes américaines est durablement marqué par cet épisode de la Grande Guerre. Dans un premiers temps, s'ouvre une période faste pour les entrepreneurs locaux. Il faut loger, nourrir et divertir des milliers d'hommes. Des civils sont embauchés dans les camps pour assurer le service des routes, des cuisines, du linge. Ces tâches sont toujours bien rétribuées. Mais, très vite, commence une période plus sombre. Les prix augmentent, les loyers flambent et se loger devient plus difficile. Les propriétaires préfèrent louer aux officiers qui cherchent des appartements en ville. La présence des Américains avec leurs dollars provoque une inflation galopante des prix des denrées courantes, au détriment des habitants de condition très modeste. Simultanément, les Américains se plaignent d'être l'objet d'abus de la part de commerçants locaux, qui augmentent leurs prix pour ces nouveaux clients.

Les trafics prospèrent et concernent essentiellement l'alcool, dont la vente, strictement règlementée, est portée à la connaissance du public par affiches, en français et en anglais. Malgré la consignation par la police américaine de certains quartiers ou établissements et cafés, les bars clandestins fleurissent et s'accompagnent de nombreuses agressions et de l'exercice de la prostitution. Des élus nantais demandent de l'aide auprès des autorités militaires américaines pour que soient mises en place des patrouilles de police mixte. S'y adjoint une intense circulation automobile, faisant encore peu partie des habitudes des villes bretonnes. Elle génère des accidents et des plaintes concernant le trafic trop intense et trop bruyant des camions sur les voiries, qui se détériorent rapidement. De même, les habitudes sanitaires américaines font l'objet de récriminations de la part de la population locale. Ainsi, l'utilisation très importante de l'eau pour la toilette ou l'entretien du linge est critiquée. Cette période est aussi marquée, à l'arrière du front, par l'emploi des femmes. Les conditions de travail et le niveau des salaires provoquent d'importantes grèves. Pour la première fois, les femmes osent réclamer l'égalité salariale avec les hommes.

Outre ces « munitionnettes », employées dans les usines d'armement, la forte présence de l'armée américaine est source d'emplois pour la population locale. De nombreuses femmes travaillent dans l'administration ou dans l'intendance des camps. À Brest, c'est dans le camp de Pontanézen que se trouvent employées ces femmes. Les salaires à l'arsenal et à la pyrotechnie sont de trois francs par jour, auquel on ajoute une prime de vie chère de 1,80 franc et une prime de « base américaine » de 1,40 franc. L'ouvrière de l'arsenal, si elle est chargée d'enfants, reçoit des indemnités de charge de famille. À Nantes, en septembre 1918, les ouvrières à domicile, employées au *Salvage Depot* se plaignent du manque de travail qui les oblige à trouver un emploi ailleurs, ceci malgré les promesses de fournir des travaux de réparation de linge à environ 5 000 ouvrières. Le salaire journalier est de 4 à 5 francs, pour 10 heures de travail quotidien.

Christine Berthou-Ballot et Véronique Guitton

Le *Policeman* américain à Saint-Nazaire est une gravure au burin sur cuivre de Jean-Émile Laboureur (Nantes, 1877 – Pénestin, 1943), datée de 1918. Le membre de la *Military Police* américaine, en uniforme, portant brassard et bâton apparaît comme un géant, face à la ménagère française faisant ses courses. Incarnant la puissance et l'ordre, il rappelle, entre autres, la question de l'alcoolisme chez les militaires américains. En effet, les « tournées » dans les bars de Saint-Nazaire se terminent parfois par des rixes. Le préfet de la Loire-Inférieure prend un arrêté, communiqué par voie d'affiches, pour interdire la vente d'alcool aux soldats américains. Saint-Nazaire Tourisme et Patrimoine-Écomusée. Michel Mahé et Christine Berthou-Ballot.

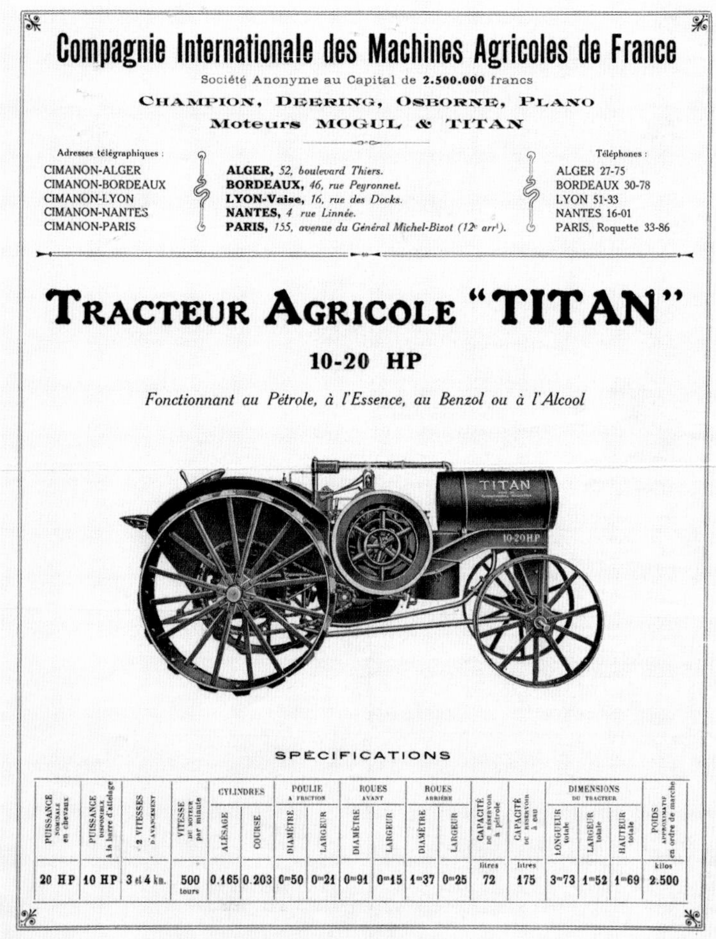

Compagnie Internationale des Machines Agricoles de France

Société Anonyme au Capital de **2.500.000** francs

CHAMPION, DEERING, OSBORNE, PLANO

Moteurs MOGUL & TITAN

Adresses télégraphiques :		Téléphones :
CIMANON-ALGER	**ALGER,** *52, boulevard Thiers.*	ALGER 27-75
CIMANON-BORDEAUX	**BORDEAUX,** *46, rue Peyronnet.*	BORDEAUX 30-78
CIMANON-LYON	**LYON-Vaise,** *16, rue des Docks.*	LYON 51-33
CIMANON-NANTES	**NANTES,** *4 rue Linnée.*	NANTES 16-01
CIMANON-PARIS	**PARIS,** *155, avenue du Général Michel-Bizot (12e arr^t).*	PARIS, Roquette 33-86

TRACTEUR AGRICOLE "TITAN"

10-20 HP

Fonctionnant au Pétrole, à l'Essence, au Benzol ou à l'Alcool

SPÉCIFICATIONS

PUISSANCE nominale en chevaux	PUISSANCE disponible à la barre d'attelage	2 VITESSES d'avancement	VITESSE du moteur par minute	CYLINDRES		POULIE à friction		ROUES avant		ROUES arrière		CAPACITÉ du réservoir à pétrole	CAPACITÉ du réservoir à eau	DIMENSIONS du tracteur			POIDS approximatif en ordre de marche
				ALÉSAGE	COURSE	DIAMÈTRE	LARGEUR	DIAMÈTRE	LARGEUR	DIAMÈTRE	LARGEUR	litres	litres	LONGUEUR totale	LARGEUR totale	HAUTEUR totale	kilos
20 HP	10 HP	3 et 4 km.	500 tours	0.165	0.203	0m50	0m21	0m91	0m15	1m37	0m25	72	175	3m73	1m52	1m69	2.500

En 1917, après avoir assisté à des démonstrations, à Laval puis à l'École nationale d'agriculture de Rennes, P. Burger, ingénieur agricole et agriculteur à Roz-sur-Couesnon dans les polders de la baie du Mont-Saint-Michel, acquiert avec quelques voisins un tracteur américain, le Titan 10-20, fabriqué par l'*International Harvester Compagny* de Chicago. Par la suite, est créé un syndicat de motoculture et des essais ont lieu à la ferme de L'Expérience, dès la fin du mois d'août. Le tracteur y laboure, en une heure, 49 ares avec quinze litres de pétrole. Archives départementales d'Ille-et-Vilaine. Eric Joret et Claudia Sachet.

Comme à Nantes, où ils déchargent les navires américains, les prisonniers allemands sont également employés à Brest. Ils sont ici au travail dans un atelier de rabotage, sous la surveillance des soldats du 21e régiment du génie. Archives municipales et métropolitaines de Brest. Christine Berthou-Ballot.

L'atelier de réparations du *Base Hospital 8* de Savenay emploie des Savenaisiennes. Ici, l'atelier de cordonnerie, où les bottes de cuir sont remises en état. À l'atelier d'entretien du linge, de nombreuses couturières sont également embauchées. Il en est de même à la blanchisserie, quasi industrielle, où de puissants lave-linge à tambour permettent de laver 450 000 pièces par mois, et où le repassage des draps s'effectue grâce à de gros rouleaux. *Courtesy US National Library of Medicine*. Odette Guibert et Christine Berthou-Ballot.

En août 1918, la municipalité nantaise met quelques locaux de la Bourse du travail à la disposition des services américains du *Salvage Depot* (atelier de réparations de vêtements militaires), qui emploie d'abord cinq ouvrières sur place et surtout des ouvrières à domicile. Le contrôle du travail étant difficile, le *Salvage Depot* investit ensuite de vastes terrains dans le quartier de Doulon, avec 1 200 ouvrières en blanchisserie, repassage et couture. Le travail est organisé en équipes, qui trient vêtements et équipements usagés et les remettent en état. L'office municipal de placement a un service spécial de main-d'œuvre, qui effectue pour le *Salvage* 2 450 placements féminins et 1 500 placements masculins. *National Archives and Records Administration (NARA)*. Archives municipales de Nantes. Véronique Guitton.

J D., Brest
171 BREST — Au Camp Américain de Pontanézen
Le Retour à Brest
MTC 497

Situé sur le territoire de la commune de Lambézellec, voisine de Brest, le *Salvage Depot* de la base n° 5 de Brest s'emploie, comme à Nantes, à remettre en état les chaussures et les vêtements, à les laver pour qu'ils puissent être réutilisés, voire revendus aux civils. Une phase préalable de tri est nécessaire avant d'orienter vêtements et chaussures vers les ateliers de couture. Des femmes y sont alors aidées par des hommes, souvent des prisonniers allemands. Si le rapport du major Abbott Boone sur l'activité du *Salvage Depot* de la base n° 5 de Brest se contente de mentionner « a *considerable force of French civilians* », l'on sait, par d'autres sources, qu'il emploie jusqu'à sept cents femmes. Collection Cartophiles du Finistère. Christine Berthou-Ballot.

Le Nantais Jean-Émile Laboureur, dessinateur et caricaturiste, d'abord affecté auprès de l'armée britannique entre 1914 et 1917, rejoint l'armée américaine à Saint-Nazaire, en juillet 1917. Il s'intéresse au repos de ceux que la population appelle *Sammies* et produit un certain nombre de gravures, représentant des figures de soldats américains, dont ceux qui fréquentent les maisons de passe, les chambres meublées de certains hôtels ou encore les 300 cafés qui sont souvent transformés en maisons publiques clandestines. Dans une ville où, en 1917 et 1918, 198 000 hommes débarquent, avec un pouvoir d'achat élevé, Laboureur suggère le racolage et la présence de la prostitution. Saint-Nazaire Tourisme et Patrimoine-Écomusée. Gilbert Nicolas.

L'année même de sa promotion au grade de lieutenant, le fantassin, peintre, dessinateur et illustrateur breton, Mathurin Méheut (Lamballe, 1882 – Paris, 1958) réalise, en 1917, plusieurs dessins aquarelles sur le thème, « Dans la maison publique de Toul ». À l'arrière du front, Toul, avec ses trois « maisons publiques » est un lieu connu de la prostitution à destination des soldats. Fermées en 1914, ces « maisons publiques » rouvrent à la fin avril 1917, par arrêté militaire. Entre janvier et novembre 1917, 110 femmes passent par ces lieux fréquentés par des combattants de plusieurs nationalités. En dépit de la volonté des autorités américaines de protéger leurs *Doughboys*, du slogan « *Here comes a soldier, clean up* » (Voilà un soldat, faites le ménage), de la surveillance des trois maisons de tolérance par la *Military Police*, l'arrivée des Américains dans la région accroît, comme ailleurs, la prostitution. Musée Mathurin Méheut de Lamballe. Gilbert Nicolas.

À Savenay, des soldats américains assistent à un match de baseball. Collection famille Cooper.

Pratiques sportives et culturelles L'Amérique en démonstration ?

Les soldats américains débarquent en France avec leur *Lifestyle*. En s'adonnant, principalement dans les camps, et quelquefois en dehors, à leurs pratiques de loisirs favorites, ils permettent une première forme d'acculturation avec des sports et une musique – le jazz – jusqu'alors largement inédits sur cette rive de l'Atlantique.

En juillet 1917, le récit que *L'Illustration* fait des premiers pas des soldats américains sur le sol français s'inspire du vocabulaire sportif, synonyme de vitalité et de renouveau : « en les voyant marcher le corps droit, les bras ballants, on pense plutôt à un bataillon de gymnastes. Ces jeunes gens au torse musclé, souple et nerveux, à la figure glabre, à l'allure vive, évoquent plutôt des visions du *gridiron* (terrain de football américain), où évoluent les joueurs de football, que des poilus massifs, alourdis et débraillés ». Quelques lignes plus loin, il est précisé que « dès les premiers jours, on put voir courir à travers la ville, au milieu des acclamations de leurs camarades, une équipe de soldats habillés en tenue de baseball ».

Prise en charge dès la formation du contingent outre-Atlantique par une œuvre chrétienne, la *Young Men's Christian Association* (*YMCA*), la préparation physique des recrues répond à plusieurs finalités : assurer le meilleur niveau de forme et d'hygiène des soldats, maintenir le moral mais aussi parfaire la préparation aux combats (que l'on songe, par exemple, au parallèle entre le lancer d'une balle de baseball et le jet d'une grenade). Une fois débarqués et cantonnés en France, les jeunes Américains continuent à pratiquer leurs sports et jeux préférés. Après l'été 1918, l'envoi en France d'un grand nombre d'instructeurs de la « *Y* » contribue à structurer un *Athletic Department* dans chaque lieu de cantonnement. Le baseball, sport national, est incontestablement le plus organisé, comme en témoigne le nombre d'équipes, de championnats et de terrains : six *Diamonds* (appelés ainsi du fait de leur forme caractéristique), autour de l'hôpital militaire de Savenay et dix, au camp de Montoir, au printemps 1919, moment où les effectifs sont les plus élevés. Le basket-ball est assurément moins implanté. Le football américain, le push-ball, la boxe, la lutte, le tennis, voisinent également avec de plus classiques courses et jeux de plein air, dans des événements fédérant de nombreux soldats. Il est en revanche extrêmement rare de trouver trace de confrontations franco-américaines dans la région. La presse fait état d'un match de football (football-association s'entend), le 28 octobre 1917 à Saint-Nazaire, et elle rapporte également quelques rencontres entre Américains du camp de Meucon et sociétaires du Club sportif vannetais et de Lorient-sports, en décembre 1918 et janvier 1919. Le sport reste avant tout un entre-soi pour les *Boys*.

Au-delà de leur entraînement physique, le bien-être et la récréation des troupes sont au cœur des préoccupations des *Welfare Organizations*, présentes partout où se trouvent les soldats. La *YMCA* et *l'American Red Cross* sont les mieux implantées, mais il faut aussi mentionner l'action de l'organisation catholique *Knights of Columbus* et du *Jewish Welfare Board*. Dans leurs baraques en bois (appelées *huts*), qui essaiment dans les camps et ne désemplissent guère, on s'y réunit autour d'un piano, d'une table de billard, de livres et de magazines. Des journaux sont aussi rédigés et illustrés par les soldats eux-mêmes. On s'y procure du papier à lettres ou on se ravitaille en tabac ou friandises. Causeries, *Bible Classes* et offices religieux sont également au programme. Même si l'influence religieuse n'est pas à négliger, il semble évident que la dimension morale et prosélyte, qui associe hygiène du corps et de l'esprit, est primordiale. Il n'est qu'à lire les recommandations édictées par le commandement de la *Brittany Leave Area* de Saint-Malo, qui rappelle aux permissionnaires les règles élémentaires de la courtoisie militaire, l'interdiction de recevoir ou d'acheter alcools et liqueurs…

Séances de cinéma, combats de boxe, concerts, bals, music-hall, autant d'activités récréatives très prisées des *Boys*, prennent place dans de grands auditoriums, de 3 000 places au camp de Pontanézen à Brest, 1 500 à 2 000, à Savenay. Des théâtres et des gymnases sont également investis au cœur des villes bretonnes. Ces activités de loisirs, manifestement plus régulières et organisées dans les premiers mois de 1919, sont parfois des occasions de croisements et de contacts interculturels, avec les populations locales. La musique est de ce point de vue certainement plus féconde que les sports, en ce qu'elle donne lieu à de nombreuses démonstrations publiques, qui sont autant d'occasions d'entendre les orchestres régimentaires américains. Les défilés des troupes, entre les navires de transport et les camps, se font musique en tête. Les cérémonies de l'*Independance Day* et du *Decoration Day* (ou *Memorial Day*), mais aussi le premier anniversaire de l'entrée en guerre des États-Unis, voient l'organisation de « concerts par la musique américaine ». Un article du *Démocrate de l'Ille-et-Vilaine*, des 16 et 17 novembre 1918, évoque les célébrations spontanées de l'armistice, place de l'hôtel de ville à Rennes, en mettant en lumière la pratique musicale comme un spectacle : « un camion automobile rempli d'Américains arrive. À l'intérieur, un piano, un violon, un tambour, une grosse caisse. Le chef de cette musique improvisée bat la mesure avec un drapeau français. Et des bribes de *Marseillaise* s'envolent du camion, entouré par une foule frémissante. […] 20 heures, rue du Pré-Botté, devant la *YMCA*, notre camion de tout à l'heure est de nouveau arrêté et les instrumentistes donnent un nouveau concert ».

S'ils disent le lien fort entre les *Sammies* et la musique, ainsi que l'enthousiasme suscité auprès des populations, aucun de ces exemples n'est pourtant resté en mémoire autant que le soir du 12 février 1918, quelques mois plus tôt donc, quand ont été jouées, au théâtre Graslin de Nantes, les toutes premières notes de jazz entendues en Europe. La fanfare du *New-York Infantry Band*, intégrée au *369th Infantry Regiment* – les fameux *Harlem Hellfighters* – arrivée à Brest à bord du *Pocahontas,* le 27 décembre, y tient le premier rôle. Ces quarante-deux musiciens noirs – « peu ou point de flûte, des rangées imposantes de clarinettes, bugles et pistons, trombones à coulisses, un fond solide de cors à piston et de basses géantes et, dans cette masse étincelante de cuivres, des tambours agiles, des instruments à percussion de toutes sortes, voire même un basson faisant avec les saxophones un excellent voisinage », selon *Le Phare de la Loire* du 13 février. Cet ensemble musical est dirigé par James Reese, dit *Jim Europe*, une figure éminente du rag-time orchestral. Ils donnent d'abord une aubade sur les marches du théâtre. Puis, une fois à l'intérieur, le concert fait découvrir les rythmes syncopés du jazz à une foule impressionnée. Le 11 février, veille de cet événement, *L'Ouest-Éclair* prophétise : « Beaucoup de Nantais ignorent probablement la musique proprement américaine, tous ces *rags-times* d'une couleur si étrange, d'un rythme si curieux [...] C'est de la musique de primitifs, ce sont des chansons de nègres, soit, mais tout un art savant, qui est en train de sortir de ces chansons, si originales que l'oreille qui les a perçues ne les oublie pas. » Jusqu'en 1919, plusieurs concerts de jazz sont donnés par des *Bands* de soldats afro-américains, surtout en Loire-Inférieure et dans la région de Brest. Ils participent de la construction de l'image et du souvenir d'une forte influence culturelle, sur ses hôtes français, d'une Amérique en démonstration, entre 1917 et 1919. Cette influence est réelle, même si les contacts avec les populations sont généralement informels, les échanges indiscutablement incomplets. Il faut attendre les années 1920 pour voir l'appropriation locale – au-delà donc du simple rôle de spectateur – de certaines de ces pratiques sportives (le basket surtout) ou musicales (le jazz), venues d'ailleurs.

Samuel Boche

Le journal de la base de Savenay, *Toot Sweet*, recense dans son numéro du 15 mai 1919 pas moins de six terrains de baseball à la disposition des soldats. Seize équipes s'affrontent au sein des *Engineers and Hospital Leagues*. Des rencontres ont également lieu sur l'hippodrome de la Touchelais, proche des principales installations hospitalières. Parmi les nombreux spectateurs, des soldats français en uniforme, des élèves de l'école normale en tenue de « hussards noirs », des femmes en chapeau et des enfants de la ville. Tous découvrent ce sport nouveau, venu d'Amérique. Collection famille Cooper. Odette Guibert et Samuel Boche.

Sur le terrain vague d'un camp de Saint-Nazaire, ce match de basket-ball réunit essentiellement des soldats de couleur. Parmi les spectateurs, quelques rares Blancs et aucun public extérieur. Tous les regards convergent vers le tireur de lancer-franc. Avec les autres joueurs, il appartient au *369th Infantry Regiment,* de passage en Loire-Inférieure. L'image est datée du 13 février 1918 et la veille, certains de ses camarades de régiment se sont produits au théâtre Graslin de Nantes, lors d'un concert de jazz mémorable. Jazz et basket sont alors deux pratiques essentiellement associées aux soldats afro-américains. Souvent cité comme un legs de la présence massive des Américains sur le sol français durant la guerre, le basket n'en demeure pas moins, entre 1917 et 1919, une pratique limitée, subalterne au baseball, peu mentionnée par la presse ou dans les journaux de camps. Médiathèque de l'Architecture et du Patrimoine, Dist. RMN-Grand Palais. Samuel Boche.

Ce match de football américain devant les hangars à dirigeables de la *Naval Air Station* de Paimbœuf, en présence de militaires français et de civils, a lieu pendant l'hiver 1918-1919. Il oppose les équipes des *NAS* de Paimbœuf et du Croisic. Pour la fête de *Thanksgiving* 1918, c'est toute la population des environs de la base de Paimbœuf qui est conviée à assister à un *cross-country* des enfants, à un match de football américain, puis, dans l'après-midi, pendant que gâteaux, chocolats et cigarettes sont distribués, à un concert de jazz dans le hangar à ballons. Une effigie du *Kaiser* est ensuite brûlée, la journée s'achevant par une pièce de théâtre. Archives départementales de Loire-Atlantique. Thierry Le Roy.

La pointe des Espagnols, située au nord-est de la presqu'île de Roscanvel, marque avec la pointe du Portzic – située sur l'autre rive – l'entrée de la rade de Brest. C'est là qu'est installé un poste d'observation, où timoniers français et américains peuvent échanger des signaux avec les convois s'apprêtant à franchir le goulet pour se placer à l'abri de la rade. Mais de longues journées se passent entre les convois, à la faveur desquelles sont organisées des activités sportives, comme ce round de boxe parfaitement amical. SPA 152 R 5184 © Edmond Famechon/ECPAD/Défense. Jean-Marie Kowalski.

Cette baraque en bois du vaste camp n° 1 de Saint-Nazaire passe pour être le premier bâtiment de la *YMCA* construit en France. Plusieurs images, postérieures à celle-ci, le montrent d'ailleurs surmonté d'une large pancarte, en anglais dans le texte : « *Premiere Hut* ». *The Gang Plank News*, journal diffusé dans le camp de réembarquement, rappelle qu'outre les loisirs et facilités qui y sont proposés, les foyers de la *YMCA* servent d'hôpitaux temporaires, à l'automne 1918, au plus fort de l'épidémie de grippe, dite « espagnole ». Médiathèque de l'Architecture et du Patrimoine, Dist. RMN-Grand Palais. Samuel Boche.

Cette *hut* de la *YMCA* du camp n° 4 de Saint-Nazaire est réservée aux soldats afro-américains. La ségrégation au sein de l'armée américaine, qui réserve aux soldats noirs des postes de dockers – on parle en ce cas de *stevedores* – sévit aussi en matière de loisirs. Les *colored troops* ont, par exemple, leurs propres *leagues* sportives, parfois une *hut* réservée, comme ici, ou bien doivent se contenter de jours précis, où les autres foyers leur sont ouverts. Les ouvrages de cette bibliothèque sont fournis par l'*American Library Association* (*ALA*). Sur cette photographie, mise en scène, l'effectivité de l'œuvre de l'*ALA* auprès de tous les soldats sans distinction d'origine est soulignée par une affiche : « *The YMCA is your Army Home.* » *National Archives and Records Administration* (*NARA*). Samuel Boche.

Si la *YMCA* gère quinze foyers à l'intérieur du camp de Pontanézen, sa présence est aussi importante au cœur de la ville de Brest, avec plusieurs implantations, place Sadi-Carnot, rue de Traverse, quai de la Douane, place de l'Harteloire ou, ici, à la base du Vieux-Château, où marins et soldats américains jouent au billard. Dans les mêmes locaux, des restaurants sont généralement tenus par de jeunes femmes de l'organisation, aidées d'auxiliaires brestoises. Siglés du triangle rouge, les locaux de la *YMCA* sont une marque d'américanisation, et ils suscitent l'attention des habitants. SPA 152 R 5166 © Edmond Famechon/ECPAD/Défense. Samuel Boche et Gilbert Nicolas.

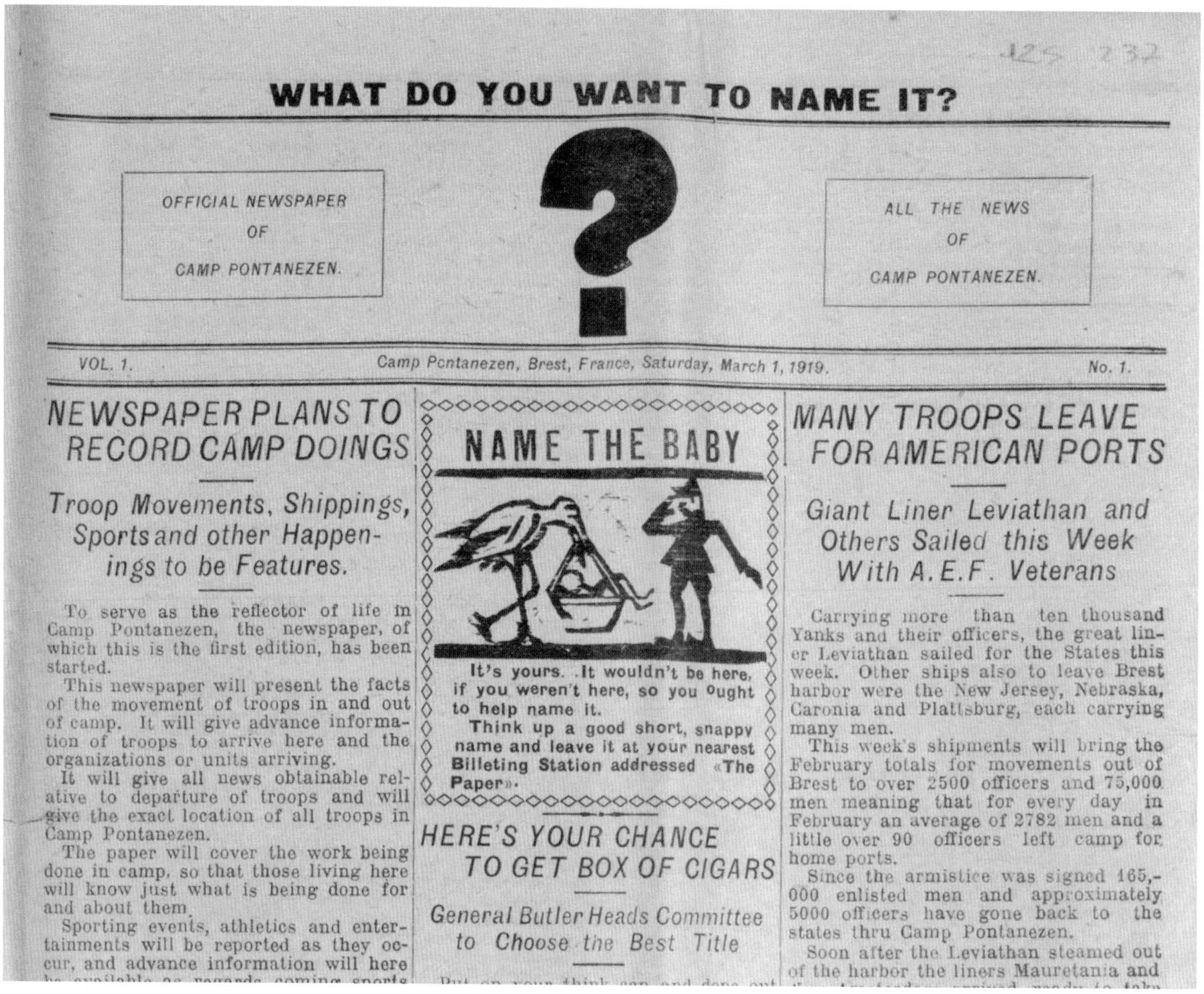

WHAT DO YOU WANT TO NAME IT?

OFFICIAL NEWSPAPER OF CAMP PONTANEZEN. — ? — ALL THE NEWS OF CAMP PONTANEZEN.

VOL. 1. — Camp Pontanezen, Brest, France, Saturday, March 1, 1919. — No. 1.

NEWSPAPER PLANS TO RECORD CAMP DOINGS

Troop Movements, Shippings, Sports and other Happenings to be Features.

To serve as the reflector of life in Camp Pontanezen, the newspaper, of which this is the first edition, has been started.

This newspaper will present the facts of the movement of troops in and out of camp. It will give advance information of troops to arrive here and the organizations or units arriving.

It will give all news obtainable relative to departure of troops and will give the exact location of all troops in Camp Pontanezen.

The paper will cover the work being done in camp, so that those living here will know just what is being done for and about them.

Sporting events, athletics and entertainments will be reported as they occur, and advance information will here

NAME THE BABY

It's yours. It wouldn't be here, if you weren't here, so you ought to help name it.

Think up a good short, snappy name and leave it at your nearest Billeting Station addressed «The Paper».

HERE'S YOUR CHANCE TO GET BOX OF CIGARS

General Butler Heads Committee to Choose the Best Title

MANY TROOPS LEAVE FOR AMERICAN PORTS

Giant Liner Leviathan and Others Sailed this Week With A.E.F. Veterans

Carrying more than ten thousand Yanks and their officers, the great liner Leviathan sailed for the States this week. Other ships also to leave Brest harbor were the New Jersey, Nebraska, Caronia and Plattsburg, each carrying many men.

This week's shipments will bring the February totals for movements out of Brest to over 2500 officers and 75,000 men meaning that for every day in February an average of 2782 men and a little over 90 officers left camp for home ports.

Since the armistice was signed 165,000 enlisted men and approximately 5000 officers have gone back to the states thru Camp Pontanezen.

Soon after the Leviathan steamed out of the harbor the liners Mauretania and

Du 1er mars au 2 août 1919, l'armée américaine publie à Brest un journal destiné aux troupes. Il est imprimé sur les presses de *La Dépêche de Brest*. Deux numéros sortent chaque semaine, proposant quelques informations générales sur l'actualité internationale ou sur les unités rentrant aux États-Unis. De nombreux articles sont, par ailleurs, consacrés aux activités culturelles et sportives. Ce premier numéro ne porte pas encore de titre mais, dès le numéro deux, le nom de *Pontanezen Duckboard* est adopté par les Américains, en référence aux caillebotis de bois destinés à leur éviter de s'enfoncer dans la boue du camp éponyme. *Pontanezen Duckboard*, 1er mars 1919. Service historique de la Défense – Antenne de Brest, fonds Laureau. Jean-Marie Kowalski.

C'est en septembre 1918 que les autorités américaines de Brest choisissent la Côte d'Émeraude pour y installer, avec la *YMCA*, un camp des permissionnaires de sept jours, *The Brittany Leave Area*, qui doit être « un centre de toute sécurité et de repos ». Le casino de Saint-Malo est réquisitionné, tout comme l'est le *High Life Casino* de Dinard. En mai 1919, les Américains préparent leur départ. Le 11 juin, le site de Dinard ferme, celui de Saint-Malo/Paramé, le 14 juin suivant. Le 19 juin, l'état-major et 820 permissionnaires prennent le départ. Quinze *policemen* restent pour « rechercher et empêcher le retour à Saint-Malo des soldats américains ». Collection particulière. Tous droits réservés. Éric Joret.

BRITTANY LEAVE AREA
YMCA
A.E.F

Dans la brochure de la *YMCA* vantant les bienfaits de la Côte d'Émeraude, le joyau normand qu'est le Mont-Saint-Michel n'est pas oublié dans le programme d'excursions des Américains. « *One of the wonder spots of France* » (l'un des endroits merveilleux de France), précise l'association n'hésitant pas à vanter, avec succès, son caractère médiéval, ses chambres mystérieuses et sa majestueuse église abbatiale. Trains spéciaux et directs y amènent 1 000 soldats par semaine. Le Mont est ici photographié, en 1919, par Blanche Chloe Grant, enseignante américaine, engagée à la *YMCA*. Collection particulière. Tous droits réservés. Éric Joret.

Le grand bâtiment de la *YMCA* du *Base Hospital 8* de Savenay est un lieu de détente et de loisirs pour le personnel, les patients et les soldats. À la fois bibliothèque, salle de spectacle et de cinéma, il accueille les élèves des écoles primaires pour des projections, qui sont restées dans les mémoires. Collection famille Cooper. Odette Guibert.

Cinéma, danse, concert, bibliothèques, théâtre, baseball, football, basket-ball, volley-ball, boxe et billard, bref « *all kinds of out-door and in-door games* » sont proposés aux soldats en permission. À ces activités traditionnelles, des événements fortuits, tel l'amerrissage d'un hydravion, s'ajoutent des événements réguliers, telles les courses automobiles ou des courses hippiques, comme ici, à Saint-Nazaire. Collection particulière. Tous droits réservés. Éric Joret et Samuel Boche.

À l'intérieur du grand auditorium de 1 500 à 2 000 places, géré par l'*American Red Cross* sur le site de Savenay, des spectacles, concerts et bals ont lieu, presque chaque soir, pour divertir le nombreux personnel hospitalier. Les invités locaux participent aux réjouissances, ici lors d'un bal masqué. *Courtesy US National Library of Medicine*. Odette Guibert.

Installés dans un wagon 40-8, sous le regard sérieux d'un agent des chemins de fer français, plusieurs membres de la fanfare du 5th *Regiment of Marines* marquent en musique leur départ de Saint-Nazaire. Les cuivres (cornet à piston, bugle), les bois (clarinette, piccolo) et la grosse caisse sont typiques des instruments des *brass-band* de type militaire. Leur répertoire, surtout composé de marches, est enrichi de notes syncopées du jazz naissant, même si celui-ci reste associé aux fanfares de soldats afro-américains. Médiathèque de l'Architecture et du Patrimoine, Dist. RMN-Grand Palais. Samuel Boche.

LA MUSIQUE AMÉRICAINE DES NÈGRES
Passage devant l'école sur le Boulevard de la Colinière
Musique des nègres se rendant à une fête

À Nantes, l'école du boulevard de la Colinière, aujourd'hui boulevard des Poilus, est située en bordure d'un boulevard de ceinture, axe important de circulation et de liaison entre les cantonnements américains, en particulier les hôpitaux militaires du parc du Grand Blottereau et du Grand séminaire. Les écoliers voient donc régulièrement passer ou même fréquentent les troupes américaines présentes dans le quartier, sujet d'inspiration de nombre de leurs dessins, conservés dans les rapports de la directrice de l'école des années 1917 à 1919. Les adultes photographient, les enfants dessinent cette présence américaine et ses nouveautés : noria de véhicules, uniformes sans ressemblance avec ceux de nos Poilus et soldats noirs, dont la présence intrigue particulièrement, surtout quand ils défilent en jouant une musique à la sonorité et au rythme exotiques. Dessin extrait du rapport annuel de fonctionnement, établi par la directrice de l'école primaire de filles du boulevard de la Colinière 1918-1919, Archives municipales de Nantes. Véronique Guitton.

En décembre 1917, parmi les troupes américaines qui débarquent à Brest se trouve le 15e régiment d'infanterie de la Garde nationale de New York, composé presque exclusivement d'Afro-Américains, dont le lieutenant James Reese Europe. Doté de remarquables talents musicaux, arrangeur, compositeur, James Reese s'engage dans l'armée et recrute une soixantaine de musiciens, constituant un orchestre au sein de son régiment. Dès son arrivée à Brest, il fait résonner des airs d'un genre nouveau et donne une interprétation très syncopée de la *Marseillaise*. Son unité, rebaptisée 369e régiment d'infanterie, est envoyée sur le front, en mars 1918. Pour soutenir le moral des troupes, l'orchestre du 369e régiment d'infanterie donne des concerts à travers la France. À la fin de la guerre, les *Harlem Hellfighters*, comme on les appelle, reviennent à Brest, en janvier 1919. De là, ils reprennent le bateau (photo ci-dessus) à destination de New York. Ils y sont accueillis triomphalement et, en dépit des réticences du commandement américain, défilent sur la Cinquième Avenue de New York, au son de leur orchestre de jazz, dirigé par James Reese Europe. Considéré comme l'un des importateurs du jazz en France, James Reese Europe, à gauche sur la photo, meurt à 38 ans, le 9 mai 1919, poignardé lors d'une querelle avec l'un de ses musiciens. *National Archives Records and Administration (NARA)*. Gilbert Nicolas.

NNEUR-PATRIE
"Pourquoi découvrez-vous une Paille
dans l'œil de votre frère,
et ne remarquez-vous pas la Poutre
qui est dans votre œil à vous?"
les uns les autres,
me Je vous ai aimés."
TIME FRANÇAISE

Figures d'Américains

En juin 1917, les premières troupes de l'*American Expeditionary Force* (*AEF*) débarquent en Europe dans les ports français de la façade atlantique. L'*AEF* comprend des soldats, des marins, des aviateurs, des dockers notamment noirs. En novembre 1918, l'armistice étant signé, l'utilité des soldats américains en France est remise en question. Tant pendant la guerre que lors de l'attente d'un réembarquement pour l'Amérique, les relations entre les soldats américains et les civils sont courantes dans des villes comme Brest, Vannes, Rennes ou encore Nantes, mais également à la campagne. Les contacts sont nombreux et prennent des formes diverses, tantôt heureuses (mariages, concerts, rencontres, poses photographiques), tantôt conflictuelles (alcoolisme, prostitution, crimes, etc.). Entre 1917 et 1919, l'image du soldat américain évolue en Bretagne. Cela se ressent dans la manière dont il est représenté ou mis en scène.

À leur arrivée en France, les soldats américains sont à peine équipés et n'ont pas reçu d'instruction militaire pour être prêts à rejoindre immédiatement le front. Ils sont nombreux, jeunes, et, pour l'immense majorité, volontaires. Ils sont également à la recherche d'exotisme, pleins d'illusions sur la guerre, qui leur était vantée par la propagande de leur pays. Cependant, un premier obstacle majeur se dresse devant eux, dès leur arrivée, fin 1917, dans le camp de Coëtquidan (Morbihan) : supporter la pluie bretonne. Le jour d'arrivée dans le camp se fait dans des conditions météorologiques peu favorables. Le camp a reçu un surnom de la part des *Boys* de l'*AEF* : « *Camp Quityourkiddin* ». Les différences météorologiques, entre la Bretagne et l'Amérique, sont mal vécues par les soldats américains, d'ailleurs moqués, à ce sujet, dans la presse locale.

Parmi ces soldats, on compte de nombreux Afro-Américains, dont une partie est affectée à des tâches de dockers. Ils sont peu évoqués dans les sources locales du Morbihan, contrairement à celles de la Loire-Inférieure et du Finistère, où leur présence dans les ports est beaucoup plus visible. Bien avant l'arrivée du gros des troupes américaines, les aviateurs américains sont déjà actifs en Bretagne, où certains sont venus se former, avant même la déclaration de guerre des États-Unis. Presque tous les journaux ont une rubrique consacrée aux « as » de l'aviation, et, chaque semaine, le « palmarès » du nombre d'avions allemands abattus est actualisé, tel celui d'un championnat sportif.

Les soldats américains sont, par ailleurs, à certaines périodes, des permissionnaires, qui ont le droit de faire du tourisme en France, notamment sur les côtes du sud de la Bretagne, où des logements de permission leur sont réservés. Des contacts avec la population française sont nombreux, mais, avant même leur permission, les Américains entrent en contact avec les autochtones. À travers des dessins d'écoliers, le soldat américain apparaît comme un être original, qui se distingue par son allure, son attitude, ses habitudes culturelles, sa musique. C'est un homme généreux, affable, qui a le sens de l'action. Ces dessins passent toutefois sous silence un certain nombre de reproches : bruit et accidents causés par la circulation des véhicules militaires, réquisition de logements, hausse des prix alimentaires, comportements inconvenants (agressions au revolver, crimes, cas d'alcoolisme). Par ailleurs, en comptant les marins parmi ces soldats, certains se sont improvisés *Policemen* à Lorient, afin de renforcer les effectifs de la police française. Ces *Policemen* disposent de matraques, comme leurs confrères de Chicago. Ils sont bien vus des Lorientais et font même l'objet d'une glorification dans la presse locale et de remerciements personnels du maire de la ville.

Valentin Bogard et Véronique Guitton

Deux marins américains dans la salle de jeu de l'abri du marin, à Sainte-Marine, en face de Bénodet. Collection musée départemental breton, Quimper.

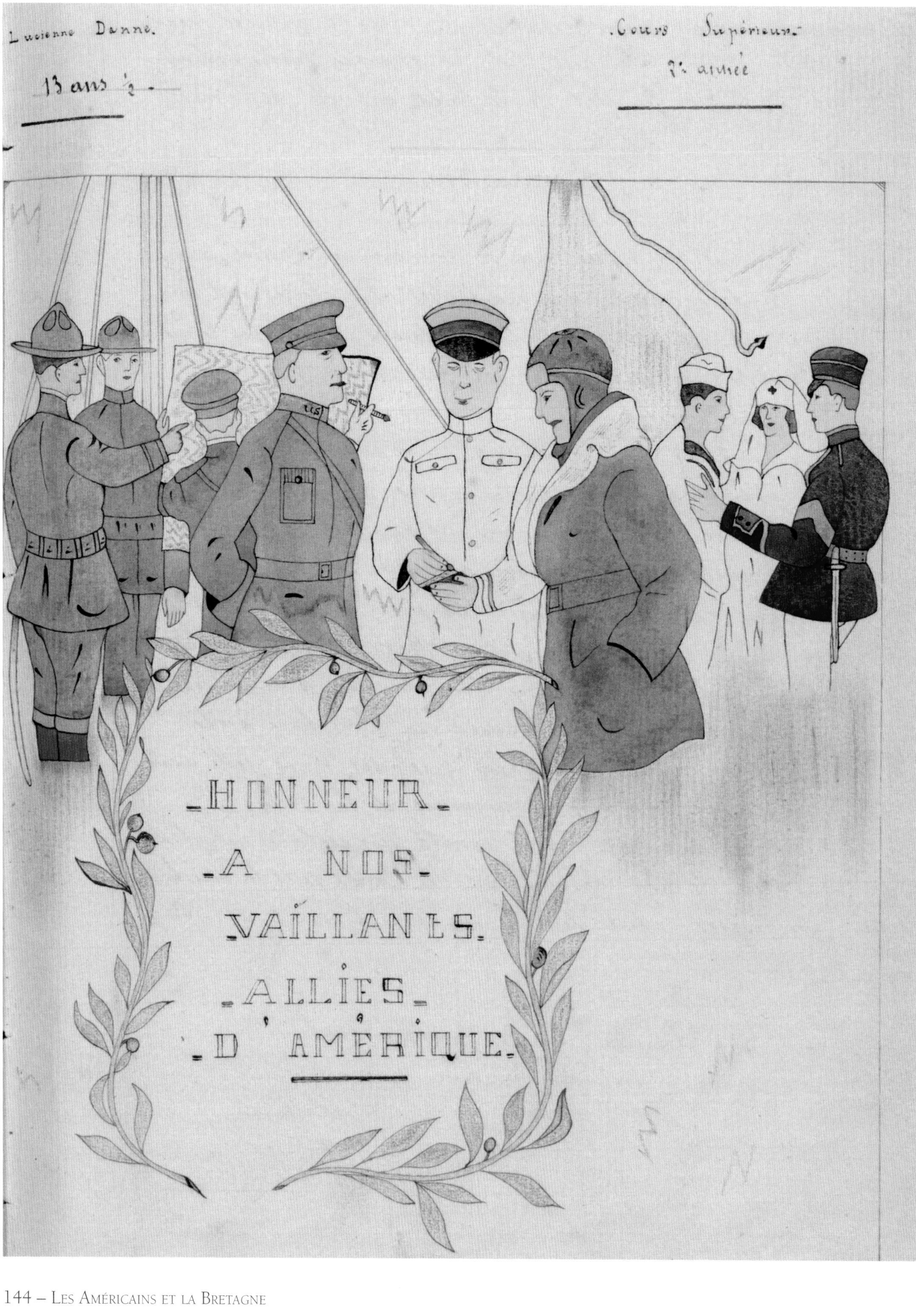
Lucienne Danné.
13 ans ½
Cours Supérieur
2e année
HONNEUR
A NOS
VAILLANTS
ALLIÉS
D'AMÉRIQUE

Dans toutes les écoles, comme ici à Nantes, l'entrée en guerre des Américains est intégrée dans l'ensemble des programmes scolaires, du devoir de mathématiques sur les tonnages de blé américain, à la leçon de géographie sur les États-Unis, ou aux dessins qui rendent hommage aux Alliés d'outre-Atlantique. Dessin et extrait du rapport de la directrice de l'école primaire de filles Émile Péhant, pour l'année scolaire 1917-1918. Archives municipales de Nantes. Véronique Guitton.

Thème récurrent de la représentation de Brest et du camp de Pontanézen, la boue. Elle a ici tout englouti, y compris la tente du caporal, auquel le soldat qui monte la garde s'adresse pour lui demander une relève rapide. Des caillebotis ont été installés dans le camp et la qualité de la voirie a été significativement améliorée depuis l'arrivée des premières troupes à Brest, en novembre 1917. Cependant, le souvenir de temps difficiles reste présent dans les esprits. *Pontanezen Duckboard*, n° 28, 4 juin 1919. Service historique de la Défense – Antenne de Brest, fonds Laureau. Jean-Marie Kowalski.

Charles Gale Pétrie est fabricant de gommes et confiseur, rue de Gigant à Nantes. La marque Chu-in-Gum (*chewing-gum*) qu'il dépose, en décembre 1918, pour orner boîtes et emballages de « gommes à chiquer » constitue, pour la période, l'unique dessin en lien avec l'Amérique, parmi les dépôts enregistrés à Nantes et à Saint-Nazaire. Il commercialise un produit nouveau, en l'associant à l'image d'un soldat souriant, trait d'union entre France et États-Unis. Archives départementales de Loire-Atlantique. Samuel Boche.

Les scènes dessinées prennent place dans les environs de La Roche-Bernard (Morbihan). Le fossé technologique entre un milieu rural morbihannais, encore peu développé, et des Américains, qui arrivent et traversent les campagnes avec leurs autos et leurs side-cars, impressionne les populations paysannes françaises. Le choc culturel est indéniable. Grands et petits en gardent un souvenir marquant. Se rendre à la *YMCA*, à Lorient, à Vannes ou encore à La Roche-Bernard, donne une image positive des soldats américains aux populations locales. Elles peuvent y voir des films américains, écouter de la musique américaine, apprendre un anglais primaire, etc. *Le Ruicard. Revue historique de La Roche-Bernard*, 4e trimestre, 1983. Archives départementales du Morbihan. Valentin Bogard.

Elie Potet, employé de la Compagnie des chemins de fer de l'État, travaille comme poseur de voies ferrées dans le centre et sur le port de Nantes et, à ce titre, vit au quotidien, en cette période de guerre, l'activité intense des quais de Loire et du port. Après avoir photographié les troupes britanniques présentes à Nantes en 1914, il continue son reportage de guerre, en 1917 et 1918, en immortalisant les militaires américains cantonnés dans la ville. Les soldats afro-américains qui, ici, travaillent comme dockers à des tâches de manutention sur le port ou d'intendance dans les camps, font l'objet de plusieurs de ses photographies. Archives municipales de Nantes, fonds Potet. Véronique Guitton.

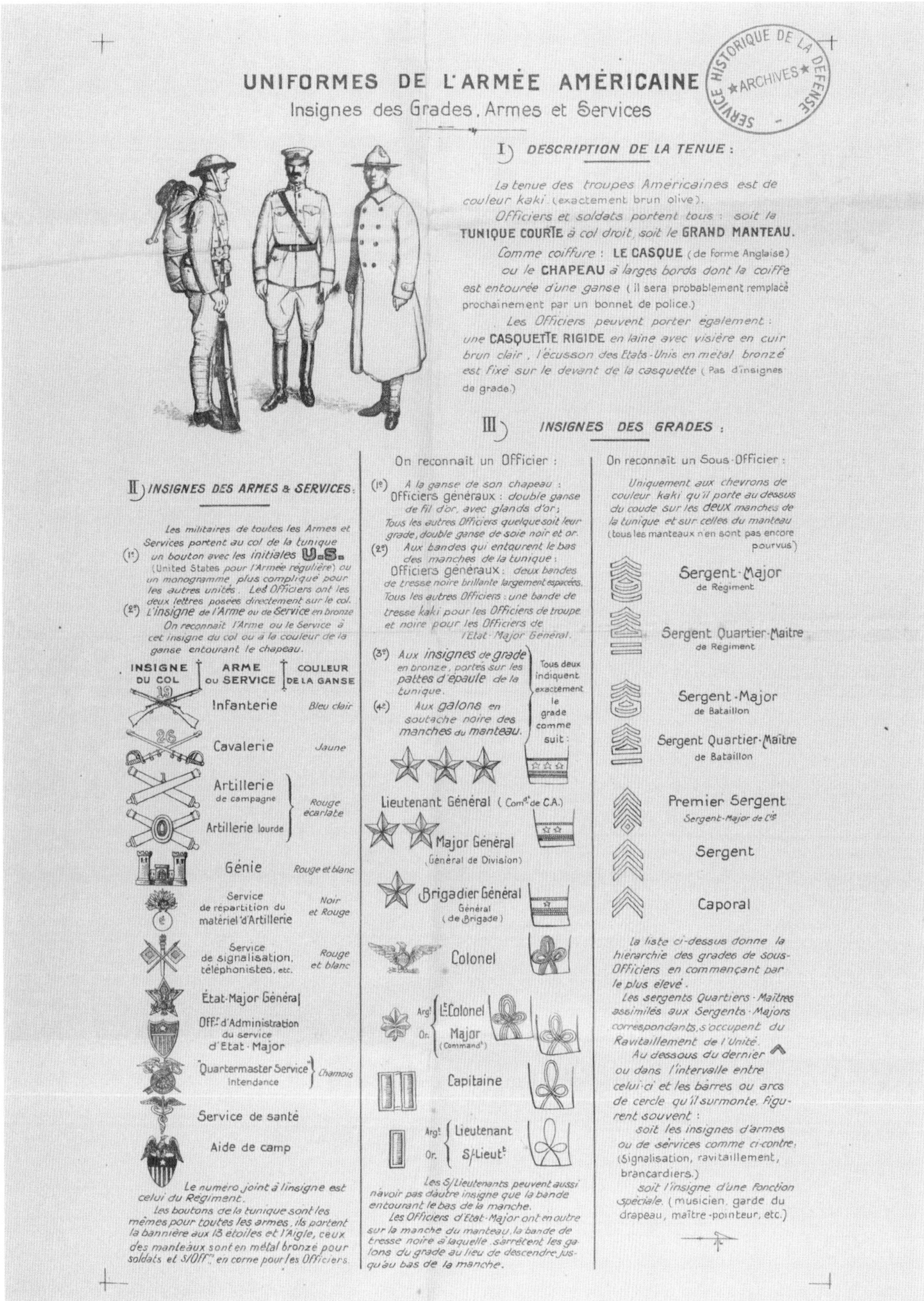

UNIFORMES DE L'ARMÉE AMÉRICAINE

Insignes des Grades, Armes et Services

I) DESCRIPTION DE LA TENUE :

La tenue des troupes Américaines est de couleur kaki (exactement brun olive).

Officiers et soldats portent tous : soit la **TUNIQUE COURTE** *à col droit, soit le* **GRAND MANTEAU.**

Comme coiffure : **LE CASQUE** (de forme Anglaise) *ou le* **CHAPEAU** *à larges bords dont la coiffe est entourée d'une ganse* (il sera probablement remplacé prochainement par un bonnet de police.)

Les Officiers peuvent porter également : une **CASQUETTE RIGIDE** *en laine avec visière en cuir brun clair, l'écusson des Etats-Unis en métal bronzé est fixé sur le devant de la casquette* (Pas d'insignes de grade.)

II) INSIGNES DES ARMES & SERVICES :

Les militaires de toutes les Armes et Services portent au col de la tunique

(1°) *un bouton avec les initiales* **U.S.** (United States *pour l'Armée régulière) ou un monogramme plus compliqué pour les autres unités. Les Officiers ont les deux lettres posées directement sur le col.*

(2°) *L'insigne de l'Arme ou de Service en bronze*

On reconnait l'Arme ou le Service à cet insigne du col ou à la couleur de la ganse entourant le chapeau.

INSIGNE DU COL	ARME OU SERVICE	COULEUR DE LA GANSE
19	Infanterie	*Bleu clair*
26	Cavalerie	*Jaune*
1	Artillerie de campagne	*Rouge écarlate*
	Artillerie lourde	*Rouge écarlate*
	Génie	*Rouge et blanc*
	Service de répartition du matériel d'Artillerie	*Noir et Rouge*
	Service de signalisation, téléphonistes, etc.	*Rouge et blanc*
	État-Major Général	
	Off.rs d'Administration du service d'Etat-Major	
	"Quartermaster Service" Intendance	*Chamois*
	Service de santé	
	Aide de camp	

Le numéro joint à l'insigne est celui du Régiment.

Les boutons de la tunique sont les mêmes pour toutes les armes, ils portent la bannière aux 13 étoiles et l'Aigle, ceux des manteaux sont en métal bronzé pour soldats et S/Off.rs en corne pour les Officiers.

III) INSIGNES DES GRADES :

On reconnait un Officier :

(1°) *A la ganse de son chapeau :* Officiers généraux : *double ganse de fil d'or, avec glands d'or ; Tous les autres Officiers quelque soit leur grade, double ganse de soie noir et or.*

(2°) *Aux bandes qui entourent le bas des manches de la tunique :* Officiers généraux : *deux bandes de tresse noire brillante largement espacées. Tous les autres Officiers : une bande de tresse kaki pour les Officiers de troupe et noire pour les Officiers de l'Etat-Major Général.*

(3°) *Aux insignes de grade en bronze, portés sur les pattes d'épaule de la tunique.*

(4°) *Aux galons en soutache noire des manches du manteau.*

Tous deux indiquent exactement le grade comme suit :

Lieutenant Général (Com.dt de C.A.)

Major Général (Général de Division)

Brigadier Général – Général (de Brigade)

Colonel

Arg.t Lt Colonel

Or. Major (Command.t)

Capitaine

Arg.t Lieutenant

Or. S/Lieut.t

Les S/Lieutenants peuvent aussi n'avoir pas d'autre insigne que la bande entourant le bas de la manche.

Les Officiers d'Etat-Major ont en outre sur la manche du manteau, la bande de tresse noire à laquelle s'arrêtent les galons du grade au lieu de descendre jusqu'au bas de la manche.

On reconnait un Sous-Officier :

Uniquement aux chevrons de couleur kaki qu'il porte au dessus du coude sur les deux manches de la tunique et sur celles du manteau (tous les manteaux n'en sont pas encore pourvus)

Sergent-Major de Régiment

Sergent Quartier-Maitre de Régiment

Sergent-Major de Bataillon

Sergent Quartier-Maitre de Bataillon

Premier Sergent – *Sergent-Major de C.ie*

Sergent

Caporal

la liste ci-dessus donne la hiérarchie des grades de sous-Officiers en commençant par le plus élevé.

Les sergents Quartiers-Maîtres assimilés aux Sergents-Majors correspondants, s'occupent du Ravitaillement de l'Unité.

Au dessous du dernier ^ ou dans l'intervalle entre celui-ci et les barres ou arcs de cercle qu'il surmonte, figurent souvent :

soit les insignes d'armes ou de services comme ci-contre, (Signalisation, ravitaillement, brancardiers.)

soit l'insigne d'une fonction spéciale. (musicien, garde du drapeau, maître-pointeur, etc.)

Ce document particulièrement bien illustré présente, de manière très didactique, les uniformes de l'armée américaine et toute la hiérarchie des grades. L'information se distribue en trois parties : la description des uniformes, les insignes des armes et services et les insignes des grades. On attire l'attention du lecteur sur certains termes mentionnés en caractère gras (comme ceux de « tunique courte », « grand manteau » ou « casque »). Les nombreux insignes sont ensuite organisés sous trois colonnes structurées, dans lesquelles on peut associer chaque grade ou armes à une iconographie précise. Service historique de la Défense – Antenne de Brest, fonds Laureau. Xavier Laubie.

National World War I Museum and Memorial. Kansas City.

Regards d'Américains sur les Bretons et la Bretagne

Les témoignages des Américains engagés dans le conflit sont rares pour l'année 1917. Comme la censure n'a pas encore eu le temps de se mettre en place, la presse rapporte les premières impressions de soldats. *The Columbus commercial* du 23 septembre publie la lettre d'un soldat, arrivé à Brest en août 1917, qui évoque « *the dregs* », les rebuts de la société, contrastant avec des gens sympathiques et la vie bon marché. De fait, en débarquant en France, c'est d'abord la Bretagne que découvrent les Américains, un vieux pays, aux infrastructures insuffisantes, déjà pauvre avant que la guerre ne réduise sa seule richesse, ses hommes.

Les *Doughboys* arrivent ainsi parmi une population désemparée, une nation en armes. Ce qui les frappe, en premier lieu, c'est le caractère ancien des constructions. En évoquant l'arrivée à Brest du 61e régiment d'artillerie de campagne, Rex Francis Harlow souligne la surprise et le désappointement de ses artilleurs de découvrir « *an old, dirty, unkempt [...] unattractive town* » (une vieille ville, sale, négligée, peu attrayante). Cette impression de vieux pays se dessine sous la plume de l'ensemble des chroniqueurs et concerne également d'autres cités, parfois perçues plus positivement. Redon est « *a very attractive old French town* », écrit Harlow. Souvent on peut lire, sous leur plume, une description sommaire des richesses architecturales qu'ils admirent lors de leurs pérégrinations. Les plaquettes de la *YMCA (Young Men's Christian Association)* présentent d'ailleurs la beauté des villes et villages, proches des camps.

Cependant, la réalité est parfois bien différente. Les conditions de cantonnement sur la terre bretonne n'atténuent guère l'impression d'une région miséreuse. Les soldats américains sont parfois effarés de l'état de précarité d'une partie de la population. Les dépôts d'ordures des camps – comme celui de Montoir – sont souvent des lieux de rencontre entre les familles bretonnes en quête de nourriture et les soldats américains. Dans leurs lettres, leurs dessins, leurs commentaires, ces derniers sont en accord avec de nombreux journaux américains, qui, libérés de la censure, rapportent des informations terrifiantes et contradictoires aux familles de soldats sur « *the famous camp Brest* », au point qu'est déclenchée la visite d'une délégation du Congrès américain (*Evening capital news*, 29 avril 1919). Des soldats reviennent du front et meurent nombreux de la grippe espagnole. Les commentaires des journalistes sont contrastés, tantôt rassurants, comme ceux du chroniqueur du *Greenville Daily Sun,* du 22 février, n'hésitant pas à écrire que Brest n'est pas une place infestée par les épidémies. Tantôt, les écrits sont alarmants, à l'instar de l'organe de presse, *The Monroe Journal,* titrant le 7 mars 1919, « *lacked coffins at Brest* » (manque de cercueils à Brest). Le journal des soldats cantonnés à Brest s'appelle malicieusement *The Pontanezen Duckboard* (le caillebotis de Pontanézen). Dans ce camp de boue, soumis aux pluies, il y a 2 000 morts de la grippe.

La Bretagne rurale se fait aussi remarquer par son réseau de transport rudimentaire, tel le « *Forty men, eight horses* » (quarante hommes, huit chevaux), allusion à ces trains utilisés pour se rendre dans les cantonnements et vers le front. Évoqués dans les correspondances de soldats, dans les relations des officiers, ils illustrent le choc que subissent les Américains lorsqu'ils doivent les emprunter. Même si parfois ils en rient, comme en témoigne la légende de la photo, « *The "express" from Montoir to St Nazaire* », il est dur pour les hommes, écrit l'officier du 61e régiment d'artillerie, de réaliser que ces wagons peuvent contenir autant d'hommes ou de bêtes ! Les habitudes de consommation constituent une autre surprise. Ainsi, s'arrêtant sur le chemin de Coëtquidan à Rennes pour prendre un café, le colonel Moorehead est stupéfait de la façon française de préparer la boisson « au cognac ».

Cette image pittoresque de la Bretagne est partagée par la plupart des soldats et leurs familles, qui ne retiennent des villes bretonnes et même françaises que le nom d'un camp, Pontanézen. Il est vrai que les rencontres entre les soldats et les populations autochtones sont sévèrement encadrées. Ce tableau de la Bretagne est à compléter par d'autres découvertes que font les soldats américains en parcourant la province. Ils posent alors sur les Bretons, un regard plus sensible, s'arrêtant sur les paysages et les modes de vie. Surgissent alors des portraits rares et poignants. Le service du sergent Clarence A. Marlette photographie des mariages, des scènes paysannes, des familles, des femmes, des enfants, mais peu d'hommes. Un pompier de l'*US Navy,* Sanford Earl Wilson, fixe sur pellicule les vieilles rues de Brest emplies d'uniformes. Blanche Chloe Grant, de la *YMCA,* réussit, dans son tour de Bretagne, à figer le temps d'un instant la vie quotidienne : des lavandières de l'Hôpital-Camfrout, des *plougastellen* franchissant le bac du Relecq, des Bretonnes avec leurs coiffes à Vannes, des enfants s'amusant sur la plage de Paramé ou une vieille femme faisant sécher son linge sur la grève de Cancale.

Une Bretagne aux multiples facettes revit sous les objectifs, bien loin des caricatures de la pauvreté, de la femme facile, de l'alcool. C'est pour surmonter ces préjugés que le journal *L'Ouest-Éclair* publie un article intitulé « Un homme de lettres dit son admiration pour la région de l'Ouest ». Ce texte est rédigé par Martin Green, correspondant de l'*Evening World* sur le front occidental, qui a pu étudier la région de Nantes à Brest en passant par Angers et Le Mans. Il met en exergue l'esprit industrieux des Bretons, le faible nombre de plaintes concernant les relations avec la population. Il souligne aussi que les soldats trouvent « les Bretons loyaux, aimables et honnêtes avec qui ils ont plaisir de se trouver en relations ». Il s'attend à trouver Nantes « en vieille ville française endormie », alors qu'il découvre une ville aux rues animées, pleines d'activités. Il regrette que des parties de la Bretagne soient trop favorisées par « *Jupiter Pluvius* », mais il reconnaît que ses dentelles et broderies sont les plus belles de France. Si les Bretons en Bretagne sont loyaux, sur le front, ils sont admirables. Arthur Gleason, correspondant de guerre, passe plusieurs mois avec « *the famous french fusiliers marins, these sailors from Brittany* » (les fameux fusiliers marins français, ces marins de Bretagne » appelés « les demoiselles au pompon rouge »). Anatole Le Braz a traduit ces belles pages, mettant en avant ces Bretons de la flotte : « c'étaient de beaux jeunes gars que l'on avait arrachés au pont de leur navire et lancés à l'aventure vers le front avant même qu'ils eussent appris ce que c'était qu'une tranchée. Mais ils avaient avec eux l'audace, fille de la mer, et l'instinct de la discipline, et l'habitude de la vie hasardeuse [...] Il les vit, poursuit Le Braz, mourir comme on sait, longuement, en héros d'une espèce rarissime,en héros gais, en héros drôles, en héros gamins ». Des traits de caractères qu'il retrouva dans les *Boys* s'engageant dans la bataille.

Ces regards croisés des alliés américains sur la Bretagne, sur les Bretons de l'arrière et du front ne sont pas étrangers aux différents chemins que prennent les opérations de rapatriement et les aspects mémoriels des années 1920 et 1930.

Éric Joret

La caricature des Français ou des Américains est courante dans le *Pontanezen Duckboard*. Tel n'est pourtant pas ici l'objectif du dessinateur du journal, qui indique vouloir représenter la diversité des rencontres que l'on peut effectuer dans ce qu'il décrit comme « le plus grand port du monde ». Marins et soldats français, américains, ou des colonies, côtoient ici hommes et femmes de tous âges et de toutes conditions. *Pontanezen Duckboard,* 14 mai 1919. Service historique de la Défense – Antenne de Brest, fonds Laureau. Jean-Marie Kowalski.

L'économie de guerre privilégiant l'armée, très vite les populations civiles se trouvent confrontées à une pénurie des ressources vitales, telles la nourriture et le charbon. L'arrivée du contingent américain, au pouvoir d'achat très important, ne fait qu'accentuer les difficultés, le coût de la vie doublant, voire même triplant, pour certains articles. Les civils essaient de survivre par tous les moyens, comme sur ce document, où on voit des femmes et des enfants nazairiens récupérant des marchandises dans une décharge près d'un camp, sous le regard bienveillant des soldats. Saint-Nazaire Tourisme et Patrimoine-Écomusée. Michel Mahé.

Les intempéries sont un thème récurrent de la presse américaine à propos du camp de Pontanézen. Les premiers soldats arrivent en novembre 1917. Ils sont donc peu nombreux à connaître l'hiver 1917-1918 à Brest. Archives municipales et communautaires de Brest. Jean-Marie Kowalski.

Les soldats du camp Guthrie de Montoir, en majorité des Noirs appartenant aux unités du génie, prennent régulièrement le « petit train du Morbihan », chemin de fer d'intérêt local, à voie étroite. C'est par ce moyen qu'ils se rendent à Saint-Nazaire, distante de quelques kilomètres, où ils peuvent se divertir plus facilement qu'à Montoir, petit bourg d'un millier d'habitants, en 1917. À remarquer, la note humoristique concernant ce train baptisé « *The "Express" from Montoir to St Nazaire* ». Collection Didier Landais. Michel Mahé.

Les enfants français suivent partout les troupes américaines. Pour eux, ces soldats constituent autant une source d'amusement qu'une source de réconfort. La musique entraînante de certains régiments, ou les spectacles donnés par l'armée américaine égayent le quotidien austère de ces enfants. Les dons accordés par les soldats américains, en nourriture, cigarettes ou tout autre chose constituent une véritable aubaine en ces temps de pénurie. Ce sentiment de sympathie est réciproque. En 1917 à Saint-Nazaire, les hommes du *17th Engineers* organisent une grande fête de Noël où sont conviés plus de 1 000 enfants choisis parmi les plus pauvres. Le 1er janvier 1918, la compagnie A offre en sus 500 cadeaux aux orphelins de la ville. Les Américains sont sensibilisés au sort des enfants français, et plus particulièrement à celui des orphelins, par le biais d'œuvres caritatives, notamment l'association *Fatherless Children of France*. *The Gang Plank News*, 25 juin 1919. Archives municipales de Saint-Nazaire, fonds Billon. Benoît Chabot.

L'équipe de Clarence A. Marlette, sergent de la Croix-Rouge américaine, est sensible, comme beaucoup d'autres services photographiques, à la pauvreté de la Bretagne. Cette misère figée sur la pellicule est accentuée par l'état de guerre et la quasi absence d'hommes en état de travailler. L'illustration choisie met en avant la modestie et la résignation de la population. *National World War I Museum and Memorial*, Kansas City. Éric Joret.

Blanche Chloe Grant, enseignante à l'université de Lincoln dans le Nebraska, volontaire, responsable de la décoration du camp de la *YMCA* au Mans, peut parcourir la Bretagne avec un œil d'ethnographe et de peintre. Ces portraits de femmes, de familles, d'enfants sur la plage, comme ici à Paramé et à Cancale – les enfants sont souvent au centre de ses compositions – offrent un panorama inédit sur la Bretagne. Collection particulière. Tous droits réservés. Éric Joret.

Au cours de l'été 1918, sur le terrain de la base de ballons dirigeables de Saint-Viaud, un marin américain prend une photo d'un camarade et d'un « local » sur son âne. Le cliché, certes pittoresque, témoigne d'une perception américaine assez dépréciative des habitants de la région. À gauche de la photo, la construction métallique est celle d'un hangar destiné à accueillir les aérostats. À l'arrière-plan, figure la ferme du Pré Trousseau. Le marin américain appartient à l'*USNR* (*United States Naval Reserve Force)*, basée à Saint-Viaud. *National Museum of Naval Aviation and Naval Airship.* Roch Chéraud.

Si l'attente dans le camp de Pontanézen peut paraître longue, la vie reprend son cours en dépit des désagréments du quotidien. Parmi les « amis » que le soldat rentrant aux États-Unis laisse derrière lui, on identifie ainsi les batraciens et insectes parasites, qui prolifèrent dans l'humidité ambiante, mais également des éléments d'uniforme de la police militaire, ainsi qu'une jupe, symbolisant la femme française, et une bouteille de vin rouge, dont la présence prend un relief particulier pour l'armée d'un pays qui ratifie, le 16 janvier 1919, le 18e amendement de la Constitution des États-Unis, introduisant la prohibition. *Pontanezen Duckboard*, 2 août 1919. Jean-Marie Kowalski.

Les relations entre soldats américains et femmes françaises sont un sujet de préoccupation pour le gouvernement français. Celui-ci craint que la famille, pilier de la nation, ne soit minée par les aventures sexuelles des Françaises, restées seules à l'arrière du front. Or dans l'esprit de certains jeunes Américains débarquant en France, l'acte sexuel est un passage obligatoire sur le chemin d'une virilité guerrière. Tout un imaginaire se développe alors autour de la femme française, objet de beaucoup de fantasmes. *The Gang Plank News*, quotidien du camp de Saint-Nazaire, 25 juin 1919. Archives municipales de Saint-Nazaire, fonds Billon. Benoît Chabot.

Le pompier de l'*US Navy*, Sanford Earl Wilson, prend des clichés de Brest, de la forteresse, du port, des rues de la ville, où la guerre semble omniprésente, tant les uniformes composent la tenue habituelle des hommes. Des prises de vue sont également réalisées par les Américains dans de nombreuses autres villes bretonnes. *Rudy Siam Street – Brest France* (rue de Siam, Brest) est le titre donné à cette photographie. *National World War I Museum and Memorial*, Kansas City. Éric Joret.

Arthur Gleason, correspondant de guerre américain, passe plusieurs mois avec les fusiliers marins, « les demoiselles au pompon rouge » et leur consacre, après Charles Le Goffic, un ouvrage, *Golden Lads*, paru en 1916 et préfacé par l'ancien président des États-Unis, Theodore Roosevelt. Photographie *Excelsior*. Éric Joret.

Visites officielles et cérémonies

Du fait de son éloignement du front, la Bretagne n'est pas l'objet de visites importantes pendant les premières années du conflit. En revanche, la venue des troupes américaines modifie la situation, car les ports de Saint-Nazaire et de Brest, en accueillant le débarquement des soldats américains, encouragent la venue de personnalités de premier plan, tant côté américain que français, et l'organisation de cérémonies officielles, qui s'ajoutent à celles, programmées chaque année, à l'occasion des fêtes patriotiques nationales.

À Saint-Nazaire, le débarquement des premiers soldats, le 26 juin 1917, s'opère sous le contrôle de chefs, amenés à jouer un rôle majeur, comme le général Pershing, arrivé à Boulogne le 13 juin précédent, venu d'Angleterre. Le 4 juillet, l'arrivée de huit yachts armés, ayant à bord des spécialistes de la sécurité des convois dans l'Atlantique, conduit à l'installation à Brest du commandement américain, dont témoigne la figure de l'amiral Henri Braid Wilson, commandant les forces navales américaines en France, de 1917 à 1919. Parallèlement à ces militaires américains, dont chaque déplacement donne lieu à des manifestations officielles, leurs homologues français sont moins remarqués pendant la durée du conflit. Le maréchal Foch, généralissime des armées alliées, fait toutefois exception. De sa propriété de Ploujean, près de Morlaix, il vient saluer, à Brest, le départ de John Pershing, général en chef des armées américaines en Europe. En effet, ce dernier rejoint son pays natal, le 1er septembre 1919, à bord du *Leviathan*, dont c'est le dernier passage dans le grand port breton.

Les autorités civiles se déplacent également dans les grands ports bretons. Le sous-secrétaire à la marine des États-Unis, Franklin D. Roosevelt, le futur Président des États-Unis, vient, à plusieurs reprises, visiter Saint-Nazaire et Brest. Parmi les visites les plus mémorables, figurent celles de Woodrow Wilson, premier Président des États-Unis d'Amérique en exercice à se rendre sur le continent européen. Les 13 décembre 1918 et 13 mars 1919, il vient participer à la conférence de la paix de Paris. Il débarque du *George Washington*, à Brest, et repart du même port, le 14 février, puis le 29 juin 1919, le lendemain même de la signature du traité de Versailles.

Du côté français, Georges Leygues, le ministre de la Marine, visite très régulièrement les ports de Bretagne. Mais la plus notable visite est celle qu'il accomplit, les 15 et 16 août 1918, aux côtés du Président de la République. Le déplacement présidentiel, préparé dans le plus grand secret, à la grande colère de *la Dépêche de Brest*, adversaire politique de Poincaré, nous est relaté plus favorablement par *L'Ouest-Éclair*. Arrivé par train le 15, à 8 h 30, le cortège présidentiel s'éloigne rapidement, le véhicule de la police spéciale américaine qui le clôt, partant « à vive allure ». Après avoir visité Laninon et l'hôpital maritime, et déjeuné à bord du wagon-spécial, sur les quais de l'arsenal, Poincaré et Leygues partent au Centre d'aviation de Camaret. Le lendemain, ils visitent, successivement, « le port de commerce, des bâtiments de la flotte, l'arsenal, des batteries du front de mer et de la pointe Saint-Mathieu, ainsi qu'un camp américain ». Le train spécial repart le 16, à 18 heures.

Les visites officielles sont toujours l'occasion de prises d'armes et de remises de décorations. Ainsi, le Président de la République Poincaré remet au capitaine de corvette, Winter, la Croix de guerre, le 16 août 1918, pour son rôle, lors de l'évacuation du *Dupetit-Thouars*, torpillé par un *U-Boot*, le 7 août.

Les fêtes nationales du 4 juillet et du 14 juillet sont célébrées comme il convient, mais on marque aussi le 1er novembre et, côté américain, le *Decoration Day*, dernier lundi de mai, dédié, dans un premier temps, à la mémoire des soldats des deux camps de la guerre de Sécession, puis à partir de 1882, à tous les morts au combat, l'appellation officielle adoptée alors de *Memorial Day* n'entrant dans l'usage qu'après la Seconde Guerre mondiale. Ces journées sont marquées par des cérémonies militaires, comprenant des défilés et des concerts, auxquels s'ajoute, pour le *Decoration Day*, le dépôt de fleurs sur les tombes des soldats. L'armistice donne également lieu à des festivités importantes.

Alain Boulaire

Lors de la rencontre franco-américaine du 18 novembre 1917, à Rennes, la fanfare des troupes américaines, spécialement dépêchée pour l'occasion par le général Summerall, joue devant un public nombreux. Photographe Bernard. Archives municipales de Rennes.

C'est à l'invitation du maire de Rennes, Jean Janvier, qu'une délégation de la 67e Brigade d'artillerie de campagne de l'armée américaine, installée au camp de Coëtquidan, et commandée par le général Charles Pelot Summerall, est accueillie le 18 novembre 1917 à l'hôtel de ville par les autorités civiles et militaires du département d'Ille-et-Vilaine. Ici, les autorités américaines et françaises posent devant la niche centrale de l'hôtel de ville, contenant la statue de Jean Boucher, représentant la Bretagne à genoux devant la France. Archives municipales de Rennes. Joël David et Claudia Sachet.

NEPTVNVS
FAVET EVNTI
RÉPUBLIQUE FRANÇAISE
VILLE DE NANTES
Programme des Cérémonies et Manifestations
Organisées le 4 JUILLET 1918
A L'OCCASION DE LA
COMMÉMORATION de l'INDÉPENDANCE
des Etats - Unis d'Amérique
Sous la Présidence de M. le Consul Général des Etats-Unis, de M. le Major Général LANGFITT, de M. le Préfet de la Loire-Inférieure, de M. le Général en Chef commandant la XI° Région, de M. le Président du Conseil Général et de M. le Maire de Nantes.
Cours Saint-André A 9 h. 1/2
Prise d'Armes Franco-Américaine
Cours de la République A 10 h. 1/2
CONCERT par la Musique Américaine
PETIT-PORT
A 14 heures 1/2
Sports Athlétiques Américains
A 17 heures
Salut aux Drapeaux
Théâtre Graslin A 20 h. 1/2 Représentation Théâtrale
La Guerre en Pantoufles
Comédie en un acte, de MM. G. TIMMORY et F. GALIPAUX
M. GALIPAUX interprètera le rôle de Lui qu'il a créé
Lui. . . M. GALIPAUX —:— Elle. . . Mlle S. GOLSTEIN
L'Anglais tel qu'on le parle
Comédie en un Acte, de M. Tristan BERNARD
M. Ch. BARET interprètera le rôle de l'Interprète
Eugène . . . M. Ch. BARET | Hogsonn . . M. Maurice LUGUET
Julien Cicandel. M. VINCENT | Un Inspecteur. M. ROMAIN | Un garçon. M. LE MAREG
Betty. . . Mme Alice LEITNER | La caissière. . Mme de BRÉAU
Intermède
TERPSICHORE
In a dancing episode entitled " A few moments with great dancers"
Consisting of imitations of the greatest dancers in the world
PRIX ORDINAIRES DES PLACES
Intermèdes
FILMS PATRIOTIQUES
MUSIQUE AMÉRICAINE sous la Direction de M. EUROPE
La Location ouvrira Mercredi au Théâtre
Le Maire, PAUL BELLAMY.
Spécialité d'Affiches. — Nantes, IMP. DU COMMERCE, 12, rue Santeuil.

Si lors de l'*Independance Day* du 4 juillet 1917, qui suit de près l'arrivée des premiers contingents américains sur le sol français, l'administration municipale nantaise organise une réception au théâtre Graslin avec l'intervention du général Sibert, commandant de la première division d'infanterie américaine, c'est bien le 4 juillet 1918 que la fête nationale américaine est célébrée avec un vif éclat. En réponse à l'appel du maire, bâtiments publics et maisons particulières sont pavoisés de multiples *Stars and Stripes*. Commencée par une prise d'armes officielle, la journée se poursuit de façon ludique et festive jusqu'à la soirée théâtrale à Graslin. À Nantes, l'*Independance Day* et le *Memorial Day*, le 30 mai, sont commémorés jusqu'en 1939 puis, de nouveau, à partir de 1946. Archives municipales de Nantes.
Véronique Guitton.

Le 30 mai 1918, au cimetière américain de Savenay, une tribune aux couleurs américaines et françaises est dressée pour célébrer le *Decoration Day*. Le *Major* Wibb E. Cooper, commandant du *Base Hospital 8*, le maire de Savenay Texier, le général Coutanceau, le consul Ravendale, l'aumônier Trexler et d'autres personnalités président cette cérémonie. Les tombes sont fleuries, des discours prononcés, des salves tirées, tambours et trompettes retentissent. Un repas de fête clôture cette journée. Collection famille Cooper. Odette Guibert.

Le 14 mars 1918, à Savenay, Newton D. Baker, secrétaire d'état à la guerre, et le général John J. Pershing, accompagnés de plusieurs généraux et officiers américains et français inspectent entièrement le *Base Hospital 8*. Après l'examen des lieux, le général Pershing déclare au major Cooper commandant de l'hôpital qu'il dirige « le meilleur hôpital de base arrière en France, et qu'il a les meilleurs hommes ». Collection famille Cooper. Odette Guibert.

Le Président Wilson est passé quatre fois par Brest, naviguant à chaque fois sur le paquebot *George Washington*, avant de prendre ensuite le train, les 13 décembre 1918 et 13 mars 1919 pour les arrivées, et les 14 février et 29 juin 1919 pour les retours. Il est, à chaque fois, accompagné de son épouse. Ces photographies témoignent de sa première venue en France. Le 13 décembre 1918, le comité des fêtes invite la population à pavoiser et rappelle aux maires du département que c'est une occasion unique « de faire valoir la beauté et les richesses des costumes de leurs communes » (*La Dépêche de Brest* du 7 décembre 1918). Médiathèque de l'Architecture et du Patrimoine et Bibliothèque nationale de France/Agence Rol. Alain Boulaire.

Préparatifs de la première arrivée du Président Wilson à Brest, le 13 décembre 1918. Face aux troupes américaines en rangs, se tiennent quatre femmes portant une coiffe locale. SPA 152 R 5166 © Henri Bilowski/ ECPAD/Défense. Gilbert Nicolas.

Un rapport, daté du 9 novembre 1918 et écrit par le lieutenant-colonel Cabot Ward, de l'état-major des *Services Of Supply*, donne la version américaine des incidents survenus à la suite de la diffusion par les services américains d'une information erronée selon laquelle l'Allemagne avait demandé l'armistice, dès le 7 novembre 1918. À Brest, l'amiral Wilson, commandant des forces navales américaines en France, aurait reçu cette information de l'attaché naval à Paris. Sans qu'aucune vérification sérieuse ne soit effectuée, la rumeur se répand dans de nombreuses villes de France. C'est ainsi qu'à Brest, vers 16 heures, le chef d'orchestre d'un ensemble musical annonce au public que les Allemands ont demandé l'armistice, deux heures plus tôt, et que les Américains ont repris Sedan. La nouvelle est annoncée immédiatement sur des affiches par le journal la *Dépêche de Brest* et, en dépit d'un démenti tardif des autorités, la ville connaît une soirée de fête. Pétards et fusées sont tirés en grand nombre par une foule en liesse, tandis que les sirènes des navires américains retentissent sur la rade. Une polémique éclate alors sur la question de savoir à qui la rumeur devait être imputée, l'éditorial de la *Dépêche* du 8 novembre ayant été peu apprécié des autorités militaires. *La Dépêche de Brest*, édition du 7 novembre 1918. Jean-Marie Kowalski.

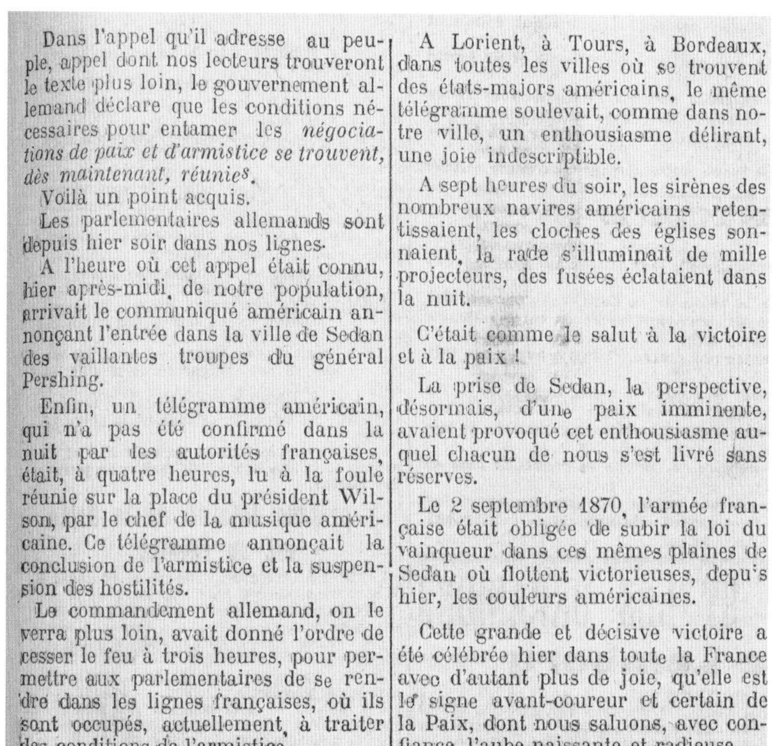

Dans l'appel qu'il adresse au peuple, appel dont nos lecteurs trouveront le texte plus loin, le gouvernement allemand déclare que les conditions nécessaires pour entamer les *négociations de paix et d'armistice se trouvent, dès maintenant, réunies*.

Voilà un point acquis.

Les parlementaires allemands sont depuis hier soir dans nos lignes.

A l'heure où cet appel était connu, hier après-midi, de notre population, arrivait le communiqué américain annonçant l'entrée dans la ville de Sedan des vaillantes troupes du général Pershing.

Enfin, un télégramme américain, qui n'a pas été confirmé dans la nuit par les autorités françaises, était, à quatre heures, lu à la foule réunie sur la place du président Wilson, par le chef de la musique américaine. Ce télégramme annonçait la conclusion de l'armistice et la suspension des hostilités.

Le commandement allemand, on le verra plus loin, avait donné l'ordre de cesser le feu à trois heures, pour permettre aux parlementaires de se rendre dans les lignes françaises, où ils sont occupés, actuellement, à traiter des conditions de l'armistice.

A Lorient, à Tours, à Bordeaux, dans toutes les villes où se trouvent des états-majors américains, le même télégramme soulevait, comme dans notre ville, un enthousiasme délirant, une joie indescriptible.

A sept heures du soir, les sirènes des nombreux navires américains retentissaient, les cloches des églises sonnaient, la rade s'illuminait de mille projecteurs, des fusées éclataient dans la nuit.

C'était comme le salut à la victoire et à la paix !

La prise de Sedan, la perspective, désormais, d'une paix imminente, avaient provoqué cet enthousiasme auquel chacun de nous s'est livré sans réserves.

Le 2 septembre 1870, l'armée française était obligée de subir la loi du vainqueur dans ces mêmes plaines de Sedan où flottent victorieuses, depuis hier, les couleurs américaines.

Cette grande et décisive victoire a été célébrée hier dans toute la France avec d'autant plus de joie, qu'elle est le signe avant-coureur et certain de la Paix, dont nous saluons, avec confiance, l'aube naissante et radieuse.

Chapitre V

Le rapatriement

Éric Joret, Jean-Marie Kowalski,
Xavier Laubie, Claudia Sachet

Soldats américains embarquant à Saint-Nazaire, extrait de l'ouvrage, *A Guide to the American Battle Fields in Europe,* publié en 1927 par l'*American Battle Commission*.

Le 11 novembre 1918, deux millions de soldats américains sont en France, 70000 en transit en Angleterre. Le flot incessant des arrivées dans les ports français cesse brutalement. Le retour au pays devient d'actualité mais la flotte américaine de transport ne peut espérer qu'un rapatriement mensuel de 85000 hommes, les flottes des pays alliés n'étant plus aussi disponibles que pour l'acheminement des troupes en 1917 et 1918. Le départ des troupes américaines de France – l'*Embarkation* – met en jeu une logistique de première importance, les *Boys* souhaitant rentrer le plus vite possible. L'*Embarkation Service* devient le *Transportation Service*.

Il faut organiser la concentration des troupes avant leur embarquement. La ville du Mans, nœud ferroviaire, à égale distance des *Embarkation points* (Brest, Bordeaux, Le Havre, Saint-Nazaire) est chargée d'accueillir le camp d'embarquement. Ce centre, créé en juillet 1918, pour accueillir *The Second Depot Division* (issu de la *Eighty-third Division*) se transforme, en décembre 1918, pour recevoir 200000 hommes. Les soldats sont ensuite orientés vers Bordeaux, fermé le 30 juin 1919, après le départ de 258000 soldats. Saint-Nazaire achève sa mission, le 26 juillet 1919, après le départ de 500000 hommes, tandis qu'au 1er octobre 1919, ce sont 1200000 soldats qui ont quitté Brest. Au total, plus de 1933000 soldats sont rapatriés ! Ils sont accueillis dans cinq ports américains, New York, Newport News, Boston, Philadelphie et Charleston, puis vont rejoindre des camps de démobilisation.

Avec 146 navires, le service en charge de ce rapatriement, *the Cruiser an Transport force* organise 692 voyages : quarante et un bateaux de transport (304 voyages), neuf paquebots « ex-allemands » (34 voyages), soixante et onze cargos transformés (246 voyages), 25 cuirassés et croiseurs (108 voyages). En dépit des tempêtes et des brouillards, l'opération est réussie, écrit Daniels, secrétaire d'État américain. 130000 hommes demeurent encore en Europe, en particulier en Rhénanie.

Cette mise en œuvre rapide est sans doute liée, entre autres, aux évolutions politiques intérieures françaises et également aux conditions sanitaires précaires du principal point d'embarquement qu'est la place de Brest, frappée par la grippe espagnole. La pression des familles américaines auprès de leurs autorités n'est pas étrangère à ce transfert rapide des *Boys*. « *The tragically unsanity conditions at Brest* », titre *The Hood River Glacier*, le 13 février 1919. Il est vrai que les statistiques donnent corps à ce constat. En octobre 1918, sur les 249 décès liés à la grippe, 31 concernent les civils, 76 les soldats français hospitalisés et 142 les soldats de la base américaine ! Au total, 2000 Américains sont emportés par cette épidémie.

La presse américaine tient la chronique des arrivées qui, parfois, suscite l'étonnement. *The New York Tribune* du 4 janvier 1919 se félicite de l'arrivée de 6000 soldats en deux transports et met en vedette le capitaine Peter B. Kyre, ainsi qu'un orphelin de 14 ans, Marcel Dupuis, adopté par le 144e régiment des *California Grizzlis*, près de Nancy.

Autre fait marquant, en cette fin du conflit, la renaissance d'une certaine critique des Français vis-à-vis de la politique menée par les États-Unis, lors de la conférence de la paix. La presse nationale et régionale s'en fait l'écho. Dès février 1919, dans *Le Journal*, l'ancien consul à Santa Fe et à la Nouvelle-Orléans, le député Maurice Damour signe un article intitulé « Soyons justes envers l'Amérique » ! Se faisant l'écho de ses correspondants et amis américains, qui semblent dire, dans les polémiques naissantes : « Allez-vous-en le plus tôt possible, maintenant que nous n'avons plus besoin de vous. » Il demande en vain de la modération dans les critiques portées contre l'allié de la France.

Le journal, *L'Ouest-Éclair*, se voit même censuré lors de la publication d'un article de G. Delaroche intitulé « Notre erreur en Amérique. La politique de la pommade ». Seize lignes disparaissent de l'article. L'auteur n'accepte pas que le gouvernement français soit taxé de « réactionnaire » par les représentants des États-Unis ! Eugène Brieux dresse, dans le numéro d'avril 1920 de la revue *France-États-Unis*, un tableau des griefs. Côté américain, les termes usités sont sans détours : la France n'a pas augmenté ses impôts, « elle préfère donner son sang que son or ». Nos soldats reviennent en ayant « l'impression qu'on leur a vendu dix fois leur valeur les objets de première nécessité ». « Vos paysans, vos marchands les ont odieusement exploités. » Et, côté français, on insiste sur la principale erreur, celle de croire que le Président des États-Unis est « l'Amérique elle-même ». Et, lors des discussions de paix, on insiste sur les concessions faites, alors que le Sénat américain semble ne pas en tenir compte ! « Ces deux peuples, tout en demeurant bons amis, sont restés une énigme l'un pour l'autre », écrit l'abbé Chauveau, fin observateur de la vie du camp de Gièvres.

Le départ accéléré des troupes américaines s'accompagne du démantèlement des installations et de la liquidation des stocks. Peu d'édifices nous sont parvenus. La vente de biens, tels les baraquements des camps, à l'issue de la guerre, leur abandon, lors des années d'après-guerre, les ultimes destructions infligées lors du second conflit mondial en font disparaître le plus grand nombre. Autre effet de ce rapide rapatriement, la gestion des stocks américains. Un placard repris par la presse française donne le « la », avec sa formule choc : « l'Américain arrivant en France est suivi de 10 tonnes de marchandises, destinées à son entretien, son alimentation, son armement pendant un an » ! Dès avril 1919, un accord franco-américain est censé organiser au mieux la vente des produits et des matériels restés sur le sol français. Très vite, cette opération économique de premier plan, qui doit atténuer la vie chère dont souffre la population, tourne au fiasco, voire au scandale. Vol, gaspillage, corruption généralisée sont régulièrement dénoncés. Plusieurs affaires sont reprises dans la presse nationale, tant l'écho est négatif. Deux affaires scandaleuses, à Montoir et à Coëtquidan, défraient la chronique, tant par le caractère des produits que par la qualité des protagonistes. La nomination d'Yves Le Troquer, sous-secrétaire d'État aux Finances, chargé de la liquidation des stocks, donne un cadre juridique plus strict à ces liquidations. Il s'exprime en décembre 1919 dans *L'Ouest-Éclair* et précise les mesures prises contre les « mercantis des bandes noires et les trafiquants suspects ». Les ventes sont suspendues, en janvier 1920, et les sanctions contre les responsables tombent. En cette fin d'année 1919, 3 milliards de francs ont été collectés lors de ces ventes. L'État veut « tout vendre et le plus promptement » ! Il finira par publier dans les annonces des ventes qu'il n'y a « plus de formalités, plus de majoration et une baisse de prix sur tous les articles » !

Éric Joret

L'Embarkation

Le plan de démobilisation, organisé à partir du Mans vers les ports de Bordeaux, Saint-Nazaire et Brest est appliqué avec beaucoup de rigueur et dans des délais qui n'ont rien à voir avec ceux de l'arrivée des troupes. Si en mai 1917, 1 718 soldats américains sont embarqués vers la France, et si en juillet 1918, au plus fort des arrivées, ils sont 306 000, le record des retours a lieu, en juin 1919, avec 364 300 hommes. Le port de Saint-Nazaire, *the Embarkation point,* jusqu'à sa fermeture en juillet 1919, arrive à faire partir 7 000 hommes chaque semaine. Les bateaux partent isolément, tenant une cadence effrénée. Soldats survivants et blessés quittent l'Europe sans oublier ceux que la mort a fauchés, au front, bien sûr, mais également à l'arrière, au bord d'une rivière ou dans un hôpital.

Des navires se distinguent, comme le *Mount Vernon*. Après son torpillage et huit mois de réparation, il part d'Amérique, le 2 mai 1919, et arrive à Brest le 9, à 9 h 30. Il repart le même jour à 16 h 45, avec 5 800 hommes à bord. Il est à New York le 16 mai. Un autre navire, le *Great Northern* fait la traversée en 12 jours, 5 heures et 30 minutes, avec 5 000 hommes à bord. Ces records de vitesse font le tour des équipages des vaisseaux engagés dans le rapatriement et alimentent les gazettes américaines. Ainsi, les effectifs transportés font l'objet de records et la joie des familles américaines. Le *Leviathan* asseoit sa renommée en embarquant 12 000 soldats en une fois ! Les photographies de ce navire en partance, aux ponts surchargés de soldats, révèlent les conditions du voyage. La vue des chambrées parle d'elle-même ! *L'Ouest-Éclair* ne manque pas de tenir informés ses lecteurs des départs. Le 10 juin, il titre « 200 000 Américains quittent Brest en juin » et signale le départ de l'*America* avec 10 000 hommes à bord, le 9 juin !

Ces rapatriements s'effectuent sans drame collectif. Certes, les rochers de l'estuaire de la Loire accrochent le transport *Tenadores*, perdu dans la brume de décembre 1918. Cependant, aucune perte n'est à déplorer. L'échouage, à Fire Island, du *Northern Pacific*, en janvier 1919, qui rapatrie 2 500 hommes, dont une majorité de blessés, n'occasionne aucun drame.

À la fin de 1919, les soldats américains sont tous rentrés au pays. La presse régionale relate tout de même l'arrestation de deux soldats, en octobre 1919, posant la question des déserteurs. Un nombre est lancé : 3 000 hommes sont portés manquants…

Éric Joret

Brest, mai-juin 1919, une scène de transbordement. Des soldats américains embarquent sur l'*USS Patricia* pour le retour au pays. Photographie extraite de l'album d'Edward D. Porges. Don de Gail Porges Guggenheim. *US Naval History and Heritage Command.*

À la date du 18 février 1919, l'administration américaine des sépultures (*Graves Registration Service*) dénombre 2 375 Américains enterrés sur le territoire de la Base Section n° 5 (Brest). Les trois principaux cimetières sont ceux de Lambézellec, Kerfautras et Kerhuon. La photographie montre une cérémonie d'obsèques au cimetière de Kerfautras. On trouve d'autres tombes américaines à Tourlaville (Manche), à Saint-Malo, à Rennes, à Bain-de-Bretagne, à Redon, à Coëtquidan et à l'Île Tudy. La plupart des corps sont rapatriés aux États-Unis après la guerre. Ainsi, le 16 août 1918, un militaire américain du 326e régiment d'artillerie se noie dans le Semnon, à Pléchâtel. Inhumé à Bain-de-Bretagne, son corps est exhumé sur demande de l'administration de la base n° 5, pour être enterré dans le cimetière américain du Relecq-Kerhuon. Archives municipales et communautaires de Brest. Jean-Marie Kowalski et Claudia Sachet.

Sur les trois clichés qui suivent, Edmond Famechon photographie les bâtiments au mouillage dans la rade de Brest, souvent au second plan. Datée du 25 septembre 1918, cette série de prises de vue met en scène les militaires américains scrutant les vaisseaux du poste de vigie du Parc-au-Duc, débarquant ou embarquant sur les barges au Pont-Gueydon, poussant les hydravions de Laninon avec, toujours en toile de fond, cette rade encombrée de navires de toutes sortes. Médiathèque de l'Architecture et du Patrimoine. Éric Joret.

Edmond Famechon se déplace également au sémaphore de la pointe des Espagnols pour rendre visite aux timoniers français et américains. Parmi les vaisseaux que Famechon se plaît à fixer sur sa pellicule, le *Prometheus*, dont de nombreux mécaniciens se marient avant le retour au pays (voir chapitre suivant). Ce bâtiment est entouré de nombreux autres bateaux en réparation, ne nécessitant pas de cale sèche. Brest est sans doute, aux yeux de beaucoup de contemporains, le plus grand port de guerre des Amériques. Médiathèque de l'Architecture et du Patrimoine. Éric Joret.

Parmi les navires qui marquent les opérations de rapatriement, l'*USS Mount Vernon*, du nom de la résidence de George Washington, en Virginie. Construit en 1906 sous le nom de *Kronprinzessin Cecilie* à Stettin, en Allemagne, ce paquebot est saisi par la marine américaine. Torpillé en septembre 1918 par le sous-marin allemand U-82, il est réparé à Brest et reprend très vite la mer. Sa mise en cale sèche offre une belle perspective de la rade. Il se distingue, lors des voyages de retour des *Sammies,* par le record du temps de traversée, un aller-retour en 14 jours, avec 5 000 hommes à bord. Au large, sur la droite de l'image, le *Repair Ship Prometheus. Naval Historical Center. US Navy photo NH 45748.* Éric Joret.

La photographie de la barge *Rin Tin Tin* illustre le défi du rapatriement. En arrière-plan, le paquebot *Imperator* attend son chargement de soldats. La barge *Rin Tin Tin* tient son nom de deux fameux dessins d'enfants *Rintintin et Nénette*, poupées de laine, nées sous la plume du dessinateur Francisque Poulbot en 1913 et devenues de véritables porte-bonheur internationaux de la Grande Guerre. *US Navy photo # NH 105816 from the collections of the US Naval History and Heritage Command, Donation of Charles R. Haberlein*, 2008. Éric Joret.

Comme le *Mount Vernon*, le *Great Northern* se distingue de l'ensemble des navires de rapatriement en inscrivant, dans sa légende, le trajet Brest-Hoboken en sept jours. Appareillant à Brest le 23 mai 1919, il est à Hoboken le 30. Ce *steamer* récent, destiné au transport des passagers, est construit en 1915 à Philadelphie et rejoint, en septembre 1917, la flotte militaire américaine. À partir de l'armistice, il convoie 28 000 hommes, de France aux États-Unis. *US Naval History and Heritage Command.* Éric Joret.

Avant leur départ, notamment ici à Saint-Nazaire, les soldats reçoivent leur petit sac blanc contenant du chocolat, des mouchoirs, des cigarettes, du *chewing-gum* et un petit nécessaire de toilette. Collection Michel Mahé. Éric Joret.

Plus de 2 millions d'Américains réembarquent pour les États-Unis durant l'année 1919. Un cahier manuscrit provenant du fonds Laureau, du nom du lieutenant-colonel Laureau, chef de la Mission du Commissariat général des affaires de guerre franco-américaines pendant la Première Guerre mondiale, relève de manière très précise, pour chaque mois de l'année 1919, les effectifs en partance pour le retour aux États-Unis. Les chiffres sont impressionnants : d'un effectif de 65 000 Américains en janvier 1919, on comptabilise 775 500 départs en juin 1919 et 946 100 en juillet 1919. Chaque mois c'est une véritable armada de paquebots américains qui arrive au port de Brest pour effectuer le rapatriement des troupes. Le *Leviathan* effectue huit voyages entre les États-Unis et la France, durant l'année 1919. Le rôle de bien d'autres unités à forte capacité comme le *President Grant* (qui effectue plus de dix trajets entre les États-Unis et la France en 1919) l'*America*, l'*Imperator*, mérite également d'être souligné. Service historique de la Défense, Brest. Xavier Laubie.

AMERICAN RED CROSS

U.S. SUB-CHASERS RESCUE WOUNDED FROM
TRANSPORT NORTHERN PACIFIC.

La première photographie, ci-contre, évoque le départ de Saint-Nazaire des soldats blessés. Les deux suivantes illustrent l'échouage du *Northern Pacific* à Fire Island, en janvier 1919 et les manœuvres pour évacuer les blessés, majoritaires parmi les 2 500 hommes à bord. Plus au large, grâce à des barges, le navire hôpital *Solace* reçoit à bord les soldats déjà éprouvés par le conflit et le voyage. Selon les chiffres officiels, près de 160 000 soldats blessés ou malades sont rapatriés, démobilisés. À l'issue de la guerre, le navire est renfloué, réparé et reprend la navigation. Les accidents en mer, lors des retours, sont rares. *Collection of James Lee, USNRF. US Navy photo NH 1023.* Éric Joret.

Les quais américains à Nantes. Photographie extraite de l'ouvrage, *A Guide to the American Battle Fields in Europe*, publié en 1927 par l'*American Battle Commission*.

Démantèlement des camps et liquidation des stocks dans l'Ouest

Dès la fin des hostilités, le rapatriement des soldats américains devient la priorité. Dans le même temps, les marchandises les plus diverses s'entassent dans les immenses entrepôts de stockage, tel celui de Montoir. À Sainte-Luce, près de Nantes, à Saint-Sulpice, près de Bordeaux, des dépôts de la zone arrière sont chargés de conserver quarante-cinq jours de vivres. Cet échelonnement des dépôts de vivres de l'armée américaine prévoit deux autres zones, la zone dite intermédiaire avec les camps de Gièvres (Loir-et-Cher) et de Montierchaume (Indre), qui conservent trente jours de vivres et la zone du front avec les camps d'Is-sur-Tille (Côte-d'Or) et Liffol-le-Grand (Vosges), avec quinze jours de vivres. Au plan national, un accord de vente est signé entre Français et Américains, concernant l'ensemble des matériels importés sur le territoire national, depuis avril 1917. Le gouvernement rattache le principe du rachat des stocks à la lutte contre la vie chère.

L'inventaire des stocks est terminé en septembre 1919. On trouve de tout dans les entrepôts, car les Américains ont amené avec eux tout ce dont ils avaient besoin ! « De l'avion français aux dragées américaines en passant par les camions et automobiles de tout ordre, les fers, les cuivres, les cuirs, les tissus, les conserves, la batellerie, les baraquements, les bois, le matériel des voies ferrées, [...] le grand bazar des stocks », écrit le chroniqueur de *L'Ouest-Éclair* en rapportant les propos du sous-secrétaire d'État aux Finances chargé de la liquidation des stocks, Yves Le Troquer, par ailleurs député des Côtes-du-Nord. Partout en Bretagne, on vend les stocks : cinquante chevaux et dix mulets « non réformés et bien acclimatés en France » souligne la publicité, à Blain, en mars 1919 ; cent chevaux non réformés à Fougères, en novembre de la même année ; couvertures, chaussures, chemises et boîtes de conserves venant de la base du Talard à Saint-Malo sont proposées sous la férule d'un juge d'instruction. On met fin à un trafic de revente de café, issu des stocks de ce port ! De partout, affluent les marchandises donnant lieu parfois à des rassemblements villageois, comme à Pipriac. Dans le centre d'*Embarkation* du Mans, 90 000 kg de sirop de glucose et 60 000 kg de chocolat à la crème et aux amandes sont mis en vente, le 19 décembre 1919, les soldats étant rentrés plus tôt chez eux. On démantèle même les stations de pompage de Méan-Trignac, Rozé, et Malville pour pouvoir vendre les moteurs et les pompes à Saint-Nazaire !

La réalité des informations contenues dans les inventaires est souvent remise en question. À Montoir, lors de la visite des représentants d'une coopérative, un soldat, « pour montrer des échantillons », éventre les sacs et les caisses. À Brest, l'affaire est plus grave, car les responsables du camp ne tiennent l'inventaire que de ce qu'ils vendent ! Bien évidemment, la police s'en émeut.

Dans un premier temps, la liquidation s'effectue en direction des offices publics, des coopératives de consommation et des groupements agricoles, avant qu'elle ne soit ouverte au public. Cette vente devient rapidement un enjeu considérable de profits, vols et fraudes en tous genres. Les intendants chargés de la liquidation n'ont que peu de moyens et les entrepôts sont peu ou mal gardés. De plus, les conditions de stockage sont précaires. La pluie et les intempéries dégradent le matériel et rendent inconsommables les denrées alimentaires. Le 26 novembre 1919, dans le grand camp de Montoir, des représentants de l'Union des coopératives de consommation d'Angers souhaitent acheter des denrées. Ils sont choqués du spectacle. « Partout on foulait aux pieds du chocolat, partout les chaussures rencontraient une épaisse couche de lait condensé. Partout traînaient du riz, du vermicelle, comme si l'on s'était amusé à mettre à sac de vastes entrepôts d'épicerie. » Dans le camp de Coëtquidan, le 7 décembre 1919, une grande vente de gré à gré de médicaments et d'instruments de médecine est prévue. De toute la France, des médecins et des pharmaciens affluent pour apprendre le matin que tout a été vendu, en bloc, la veille !

Beaucoup de civils viennent s'approvisionner frauduleusement dans les camps, jour et nuit, souvent avec la complicité du personnel et parfois de soldats américains. En cette période d'après-guerre et de grandes difficultés sociales, il est tentant, pour la population, de venir chercher de la nourriture ou de quoi se chauffer. Mais, pour certains, voler devient une industrie permettant de juteux profits. Entre octobre et décembre 1919, plus de 200 affaires concernant des vols sont jugées par le tribunal de Saint-Nazaire. On vole en bande, à main armée, parfois en plein jour. Les pillards vont jusqu'à s'emparer d'une locomotive et à remorquer des wagons jusqu'à Donges, où le butin est partagé. À côté de tous ces vols, fleurit la spéculation. Les bénéfices tirés de la revente d'objets achetés à bas prix sont énormes. Les chefs de camps eux-mêmes sont de la partie. Le sous-secrétaire d'État à la Liquidation, Yves Le Troquer, se rend au camp de Montoir et constate l'état d'anarchie qui y règne. Une instruction est ouverte et le responsable des camps est limogé. La garde et les contrôles sont renforcés et la situation s'améliore enfin. Le 22 décembre 1919, on procède à onze arrestations au camp de Montoir et au ministère du Ravitaillement. Il faut attendre 1922 pour assister à la condamnation des responsables du centre de liquidation de Brest. « On liquide les liquidateurs », titre malicieusement *La Dépêche de Brest*.

Au plan national, une enquête est ouverte, qui met en évidence les pertes énormes subies par l'État français. Beaucoup de marchandises ont été vendues à très bas prix, toutes n'ont pas été payées, l'État étant le plus mauvais payeur !

La documentation du grand camp de Montoir permet de prendre la mesure de l'effort matériel américain, concentré dans cette partie de la Bretagne : un entrepôt rempli de tabac, une vue aérienne de cette ville de baraques pleines de denrées de marchandises, des bureaux désormais vides et, en regard, une photographie de ce camp sans baraques, des vestiges maçonnés éparpillés dans la végétation. Au total, peu de choses subsistent. Aujourd'hui, il faut bien chercher, dans les campagnes ou en ville, les restes de ces édifices élevés par les régiments du génie, rares traces de ce passage, tel le château d'eau de la Fosse Noire, près de la forêt de Paimpont, conservé intact et utilisé jusqu'en 2012.

Éric Joret

Devant l'afflux de marchandises en provenance des États-Unis, il devient nécessaire de construire un immense parc de stockage, dans la région de Saint-Nazaire. Il voit le jour dans les prairies de Montoir, en bordure de Loire, à partir de mars 1918. Il est prévu de construire 198 magasins, ainsi qu'un entrepôt en plein air. Le site est tout d'abord remblayé par du sable, puis les hangars préfabriqués sont érigés par des bataillons du génie (en majeure partie noirs) ainsi que par des prisonniers allemands et des travailleurs étrangers. Un réseau de voies ferrées raccorde les entrepôts au réseau. Au moment de l'armistice, 138 bâtiments et 202 km de voies ferrées sont construits. Saint-Nazaire Tourisme et Patrimoine-Écomusée. Michel Mahé.

Les marchandises débarquées sur le port ou sur l'appontement situé en Loire sont ensuite transportées vers les bâtiments de stockage de Montoir, où elles sont entreposées. Pour ce faire, un pont ferroviaire enjambant le Brivet et une double voie ferrée sont construits, reliant le port de Saint-Nazaire au camp de Montoir. Ce hangar est l'un des plus grands du camp, mesurant 150 m sur 70. Il est probablement destiné à stocker des munitions. Il en existe quatre de ce type. Sont à remarquer, les pieds des poteaux, coulés dans du béton, afin de renforcer la structure. Saint-Nazaire Tourisme et Patrimoine-Écomusée. Michel Mahé.

On trouve de tout dans les entrepôts de Montoir : du matériel chirurgical, des produits pharmaceutiques, des machines à écrire (un lot de 1 749 machines est mis en adjudication en juillet 1920), de nombreux véhicules, des vêtements, des tentes, des moustiquaires, de la nourriture, des selles de cheval mexicaines refusées par l'armée française, des peaux de moutons ou d'ânes, de grandes quantités de tabac comme dans ce document et même des bibles ! Saint-Nazaire Tourisme et Patrimoine-Écomusée. Michel Mahé.

Avant d'entreprendre la liquidation des stocks, il faut dresser un inventaire le plus précis possible du matériel entreposé dans les magasins de stockage. Celui-ci n'est terminé qu'en septembre 1919. Les opérations de mise en adjudication peuvent alors commencer. Cette vue montre le bureau de la liquidation de Montoir. Collection Didier Landais. Michel Mahé.

Les journaux locaux regorgent d'encarts publicitaires concernant la liquidation, comme le montrent les articles du *Phare de la Loire*. L'annonce du 6 décembre 1919 montre la volonté de l'État d'en finir au plus tôt, en réduisant les formalités et en encourageant la baisse généralisée des prix sur toutes les marchandises. Archives municipales de Nantes. Véronique Guitton.

La liquidation des stocks américains est une opération complexe, qui entraîne de nombreux problèmes. Après une reprise en main par le gouvernement, les ventes se poursuivent, de manière plus ordonnée, sous la responsabilité de militaires français, tel celui-ci, photographié devant un train de matériel en partance, à Montoir. Collection Didier Landais. Michel Mahé.

Pendant que la liquidation se poursuit, les hangars et magasins du parc de Montoir sont démontés pour être à leur tour revendus. Le camp devient alors un vaste chantier de démolition. Les prairies retrouvent peu à peu leur aspect naturel, mais il faut du temps aux propriétaires pour récupérer leurs terrains, parfois réquisitionnés sans autorisation. Collection Didier Landais. Michel Mahé.

Après la guerre, les bâtiments sont démontés. Il ne reste plus, dans les prairies du bord de la Loire que les fondations des magasins de stockage. La construction, à partir de 1937, de l'aérodrome de Saint-Nazaire-Montoir, puis l'agrandissement de la piste effacent la grande majorité des traces. Ne restent plus, parmi les pâturages, que des amas de blocs de béton, restes des fondations de cet immense complexe. Photo et texte de Michel Mahé.

Les magasins sont regroupés en sections, chacune d'entre elles comprenant treize rangées de trois bâtiments. La plupart des hangars mesurent 125 m de long sur 15 m de large. Ils sont en charpente métallique, en fer profilé, assemblés avec des rivets. Les murs et les toits sont en tôle ondulée galvanisée. Les poteaux sont enchâssés ou fixés sur des plots en béton. Les fondations de ce hangar au milieu d'une prairie demeurent intactes, ce qui permet aujourd'hui encore de mieux se rendre compte de l'importance de l'aspect colossal de ces constructions. Photo et texte de Michel Mahé.

Avant la guerre, pour alimenter en eau le camp de Coëtquidan, un système de réservoirs est aménagé, dans son enceinte, par l'armée française. Quand le camp est cédé aux Américains, en août 1917, ceux-ci complètent ce dispositif avec une station de pompage, construite à la limite du camp, au lieu-dit la Fosse Noire, en Beignon, dans une prairie marécageuse, non loin de la rivière de l'Aff. L'armée française conserve cette station, en état de fonctionnement, jusqu'en 2012. Photographie Patrick Gauthier (mars 2017). Photo et texte de Claudia Sachet.

La mission américaine d'inspection du port de Brest, menée en novembre 1917, note l'insuffisance de l'approvisionnement en eau douce. L'accroissement des besoins conduit, en juin 1918, à prendre la décision d'édifier un barrage sur la Penfeld. D'une hauteur de 7 mètres 50 pour 73 mètres de long, il est conçu pour disposer d'une capacité de production de 7 500 m^3 par jour, modeste mais suffisante pour satisfaire les besoins du camp de Pontanézen et du port. Des réservoirs d'une capacité de 1 500 m^3 sont édifiés à Pontanézen, reliés au barrage par un réseau de canalisations. Entre les deux, est creusé le bassin de Tréornou, d'où partent d'autres canalisations desservant la ville. En dépit de l'armistice, la décision de construire le barrage est maintenue car, après novembre 1918, le nombre d'Américains stationnant à Brest est encore plus élevé qu'auparavant. Achevé en 1919, ce barrage est toujours en service en 2017. *NARA* et photo Jean-Marie Kowalski.

Chapitre VI

La mémoire

Christine Berthou-Ballot, Alain Boulaire, Benoît Chabot, Joël David, Odette Guibert, Véronique Guitton, Éric Joret, Jean-Marie Kowalski, Grégoire Laville, Michel Mahé, Gilbert Nicolas, Claudia Sachet

La mémoire de l'intervention américaine en Bretagne revêt de nombreuses facettes et, souvent, révèle la césure entre ce que les hommes, les soldats et leurs familles gardent dans leur imaginaire et ce que souhaitent mettre en valeur, parfois difficilement, les autorités tant américaines que françaises.

La mémoire immédiate, celle que se construisent les soldats lors de leur départ ou pendant leur attente avant d'embarquer est la plus marquante, la plus sensible, la plus vraie. Bien sûr, les journaux des camps comme *The Pontanezen Duckboard, SOL, The Gang Plank News, The Salvo,* offrent aux lecteurs soldats, ce qu'ils veulent lire, une Bretagne au climat redouté, des ports avec leur faune habituelle… Mais d'autres gazettes, comme *As You Were*, le journal des étudiants américains de Rennes, ouvrent des débats sur le vrai visage de la tolérance à la française, valeur réelle pour les uns, vertu déguisée pour les autres. Pourtant, avant leur départ, des *Sammies* fixent, sur la pellicule, des images de la contrée qui les a accueillis, des images d'un pays qui souffre, de familles sans chef, parfois sans fils ou sans frères, disparus dans la tourmente. Ces clichés révèlent l'étonnement, mais également la proximité entre les photographes et la population. Ce qui reste aussi dans les mémoires des *Sammies*, c'est l'architecture ancienne, des villes et des campagnes. Pas un témoignage qui n'évoque ces vieilles demeures, les jours de marché, comme ceux de Quimperlé, faisant l'objet d'une chronique, publiée dans le *New York Tribune,* le 11 mai 1919. Des visiteurs américains rapportent des costumes traditionnels et tentent de lancer des versions américaines comme *The Bretagnaise Blouse-Dress* chez Franklin Simon and Co, en 1919. La publicité vante, « *a new feminine silhouette* […] *with gold embroidery* ».

En France, les autorités municipales de plusieurs villes marquent leur reconnaissance, dès 1918. Nantes adopte la ville de Saint-Mihiel, délivrée par les Américains, tandis que Rennes se lance, avec le peintre Camille Godet, à représenter la fraternité d'armes sur des fresques. Le climat politique américain change radicalement dès la fin du conflit. Les difficiles discussions interalliées sur la sortie du conflit et les traités se répercutent sur l'opinion publique. Le journal *L'Ouest-Éclair* publie, le 29 mai 1919, le témoignage d'un homme de lettres américain, Martin Green, qui dit son admiration pour la région de l'Ouest « à une époque où trop de Français ne marchandent pas à leur race d'amères et injustes critiques ». Il ajoute : « nos soldats trouvent que les Bretons sont loyaux, aimables et honnêtes », éloges qui masquent des contradictions et que tentent d'atténuer les organes de presse, encore soumis à la censure. La tournure des discussions internationales sur la paix ajoute à la perplexité des populations, déjà exaspérées par des affaires qui défraient la chronique. Éclate, à cette époque, l'affaire Guillaume Seznec, longue suite de scandales, liés à la liquidation des stocks américains. Guillaume Seznec est inculpé en 1924 du meurtre de Pierre Quéméneur, son complice dans un projet de revente à l'Union soviétique de voitures de marque Cadillac, issues de stocks américains. L'affaire fait grand bruit en Bretagne et en France. Accapareurs de stocks, corruption des liquidateurs et gabegie généralisée reviennent à la mémoire des populations qui manquent de tout au sortir du conflit.

L'*American Battle Monuments Commission* est créée en 1923. Le général Pershing en prend la présidence. Le premier monument de Saint-Nazaire est construit en 1926 par une fondation américaine. Il faut attendre 1937 pour voir surgir celui de Brest. Les vétérans américains sont pourtant présents, depuis la fin du conflit, sur les terres européennes pour rendre hommage aux leurs, tombés au combat ou emportés par les maladies. Malgré la détente internationale qui s'installe, entre 1924 et 1930, leur association, l'*American Legion,* est victime d'événements de politique intérieure. Ainsi, en 1927, au moment de sa convention en France, l'affaire Sacco et Vanzetti déchaîne en Europe et en France des passions exacerbées, dominées par l'hostilité à l'égard des Américains. L'affaire de la dette de la France, dont l'Amérique exige le règlement, empoisonne les commémorations. Même le conseil municipal de Rennes, pourtant attaché au souvenir du sacrifice des *Sammies,* rejoint ceux des villes opposées à cette convention et boycotte le jour de l'*American Legion*, au grand dam de très nombreux Rennais, qui pavoisent leurs maisons. La presse se déchaîne contre « ce vote stupide [de] nos édiles », « ce geste maladroit anti-français », ce vote « indigne », « une lâcheté », tandis qu'elle salue Vitré, Fougères, Saint-Malo, qui rendent hommage « à l'émouvant pèlerinage de l'*American Legion* sur le front et dans les villes martyres ». La lecture d'articles de presse, en particulier de *L'Ouest-Éclair,* révèle l'appréhension des associations combattantes françaises à participer à ces journées. À l'*American club* de Paris, on se félicite de cette convention qui permet à tous les compatriotes de « se rendre compte du véritable visage de la France et de son inaltérable affection pour le peuple américain ». Lors de cette convention, une société américaine dirigée, selon la presse, par « Charles A. Missl, chef de chemin de fer » tient sa première séance et son assemblée particulière, la Société « 40 et 8 », du nom du wagon 40 chevaux-8 hommes, qui a tant marqué les *Sammies*. Elle lance son projet d'en rapatrier un exemplaire. En 1930, l'UNC en envoie un second exemplaire à Détroit. Appelé *La Madelon*, il y est toujours conservé. Des délégations ou des groupes de vétérans se rendent en France pour accompagner des cérémonies, comme à Saint-Malo en 1928, en hommage aux marins disparus. La Borne de la Terre Sacrée, en presqu'île de Quiberon, inaugurée en 1931, est due à l'initiative du sculpteur Gaston Deblaize, ancien poilu. Toutes ces initiatives témoignent des liens tissés pendant les combats. Deux ans plus tard, en 1933, le monument américain de Château-Thierry est inauguré.

Cinq mille vétérans de l'*American Legion* sont en France en 1937. Ils viennent pour se recueillir sur les champs de bataille et participer aux inaugurations des monuments de Montfaucon-d'Argonne et de Brest. En présence de marins du torpilleur *Kane*, le monument brestois est inauguré le 12 août. Des 426 paquebots qui amenèrent des troupes américaines, pas un seul ne subit la moindre avarie, affirme dans son discours le vice-amiral Devin,

En 1921, le sculpteur breton, Jean Boucher (Cesson-Sévigné, 1870 – Paris, 1939), pose devant la maquette du monument aux volontaires américains. Financé par la France, le monument est inauguré en 1923, place des États-Unis, à Paris. Bibliothèque nationale de France/Agence Meurisse.

préfet maritime. Pendant ces quelques mois de commémorations, d'août à septembre 1937, malgré la propagande initiée par les autorités françaises auprès des institutions, la presse s'en prend aux Américains. Ainsi, l'article de *L'Ouest-Éclair*, écrit par Jacques Péricard, ancien poilu, met en exergue le racisme des officiers américains blancs vis-à-vis des soldats noirs, appelés « les dormeurs ». La montée des périls avec le réarmement naval allemand, tout concourt, en cette année 1937, à briser l'élan mémoriel, tandis que la guerre menace.

Lors de l'Occupation allemande, l'ensemble des monuments commémoratifs bretons sont détruits : à Brest et à Saint-Nazaire, en 1941, la Borne de la Terre Sacrée, au large de la presqu'île de Quiberon, en 1942. Le monument de Brest renaît en 1960, la borne en 1964, la statue de Saint-Nazaire, en 1989. Entre-temps, d'autres commémorations façonnent les liens entre la France et l'Amérique. Dès 1948, à l'initiative du créateur de la Voie de la Liberté, 48 wagons du *Train de la Reconnaissance Française au peuple Américain* rejoignent les 48 états de l'Union, donnant ainsi une suite à l'opération de 1930. En 1988, le souvenir de l'ancien hôpital militaire de Savenay est partagé par toute la population. L'histoire des alliés américains en Bretagne conduit même à associer les deux conflits en une même commémoration, comme à Rennes, en 2013, lors des Assises de la mémoire partagée. Collectionneurs de véhicules anciens et créateurs de figurines participent aussi, à leur manière et auprès des jeunes générations, à cette épopée américaine sur le sol national, épopée ayant pris, parfois, une tournure familiale avec des idylles, des mariages, des liens d'amitié très forts. Demeurent ces photographies émouvantes de couples, de banquets, de familles rassemblées, autour des jeunes amoureux. À Brest, un quart des mariages de l'année 1919 concerne des couples franco-américains. Souvenirs – objets, lettres, cartes postales – sont aussi conservés précieusement par les familles bretonnes et passent de génération en génération, comme ce chapeau d'un soldat ami d'une famille de Sixt-sur-Aff en Ille-et-Vilaine ou la photographie du soldat Wood, de Détroit, posant avec ses enfants et destinée à sa chère Yvonne, « en souvenir de beaucoup de bonheur ».

Éric Joret

« Nous nous sommes immensément amusés. » Détail de la première page du journal des soldats-étudiants rennais, *As You Were*, 21 juin 1919. Archives départementales d'Ille-et-Vilaine.

PUBLISHED BY THE A. E. F. STUDENTS-UNIVERSITY OF RENNES

" FRÈRES D'ARMES, FRÈRES DE TRADITIONS, FRÈRES D'IDEAL "

Number 12 | Rennes (France), Saturday June 21, 1919 | 50 Centimes

REFLECTIONS

OF AN O. D. STUDENT ON LEAVING UNIVERSITY OF RENNES AFTER BATTLE OF FOUR MONTHS

BY S. M. PALMER

In the early part of March 1919, on one of those chilly, slippery days which make the climate of Brittany famous, there were grouped about a table in the Café de la Paix, a half-dozen members of the A. E. F. It was ten o'clock in the morning, and they sipped their rhum-chauds with the satisfaction of a man warming himself before a fire.

" Are you a student too? " "What course are you pursing? " "Do you expect to overtake it ?" " When does your outfit sail?" "Why did you come here anyway?" Question followed question.

Four blocks away, and across the canal, in a building inscribed " Faculté des Sciences ", "l'alliance du Trône et de l'Autel" was being described with a fire and eloquence that swayed the rows of khaki-clad hearers with suppressed excitement.

"Après la chute de Napoléon et la 'restoration' de l'Ancienne Régime" continued the indigo-spectacled prof............

"Encore rhum-chauds our tous, — there comes another thirster after knowledge — un autre, shorty."

"How long will this thing last?" "Surely not till the first of July ! "

"It can't!"

Nearly four months have passed. From the wet and chilly days of the early spring, we have come into the charm of Brittany's clear, sun-shiny summer. And along with the change of season, as gradually, but just as surely other changes have come.

This disease called knowledge never did meet with more than mixed success in its attacks upon certain individuals. Being unable to withstand its repeated assaults, unprotected, we fortify ourselves with potent preventatives of many species, varying in color, taste, and specific gravity. Their names are sufficiently famous that they need not be recalled here. Suffice to say, their effectiveness is not to be denied.

But even the most bitter enemy of this insidious malady — knowledge — must admit certain losses and defeats. He cannot gainsay for example the fact that, during the few minutes he is required to read the MEMPHIS DEMOCRAT while the snappy-eyed muleskinner checks the attendance with that marvelous precision belonging only to those of his attainments, the intonations of the professor's voice are at least a trifle familiar.

And, if he allows himself to be interrupted in his reading he may even catch the syllables of a faithful old friend like *siècle* or *massif centrale*. No matter what we may think about it, this is progress — undeniable progress, and and if allowed to continue, people will soon point an incriminating finger at us, and whisper ominously to each other : "educated — educated. "

There are others who came here with a working knowledge of French, finding courses which will be directly beneficial in later work; they have accomplished appreciable results. But their name is not legion.

Now, our four months have drawn to a close — four months that will not be soon forgetten. The gold lady above Notre-Dame shining in the morning sun, the bizarre combinations of physical drill, the adjutant *en décolleté*, Lawrence making another assessment, La Chèvre de M. Seguin, the crowded entrance of an almost vacant lecture room, "Je vais parler aujourd'hui", a make-believe railroad train clattering down the main street, a professor's voice amid the crackle of newspapers, "C'est tout", — these and a thousand other bits of our college days at Rennes are slipping irrevocably into the past. It's time again to roll up what is left of old equipment C.

But, whatever we have done, or left undone, whether pleased or displeased with our courses, whether we understood none, little, or all of the lectures, one thing we shall always remember, — the genuine spirit of the professors.

What they have told us, some will never know, and others may soon forget. But the way they told it, their limitless efforts to help us, their wholly remarkable, inexhaustible spirit will live in our minds as a cherished memory, and remain with us always, a lasting inspiration.

We Have Enjoyed Ourselves Immensely

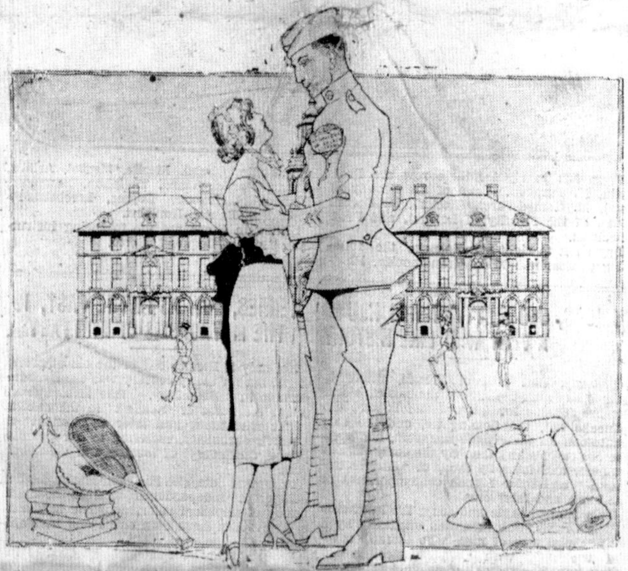

FACULTY OF LAW

ARRANGED SPECIAL LAW COURSES THAT STUDENTS NEED ED MOST

BY F. R. HYDE

The Faculty of Law, under the presidency of Dean Turgeon, held a conference at the beginning of the term with the American Students and arranged a course which proved of the highest value.

M. Bodin in Political Economy has enjoyed the largest audiences, due to the general nature of his subject, and his pupils have, without exception, expressed their satisfaction with his scholarly manner of classifying facts and his never failing aptness in illustrating the laws which he expounds, with so much clearness.

M. Thélohan in International Law had the difficult task of speaking in fairness on a subject which during the past four years has excited popular feeling more widely than ever before in the world's history. In his lectures, particularly those on the blockade and submarine war he has spoken as a jurist, content to prove the Boche legally wrong and leaving bitter denunciations to follow the calm judgment of history.

M. Lerebours-Pigeonniere, in Commercial Law, gave a remarkable course on a technical subject. The Letter of Exchange presents today an importance undreamed of before the war. The lively interest which this experienced counsellor awoke in his hearers will without doubt aid their efforts when a system of internationally standardised commercial law developes from increased foreign commerce.

M. Fettu in his course on Civil Law has given us an intelligent survey of a broad subject. America boasts few experts on the civil law ; among these are Chief Justice White of the United States Supreme Court, and Ex-President William H. Taft. Both of these men owed their opportunity for exceptional advancement through knowledge of this important developement of ancient Roman law.

M. Blondel brought to his course all the enthusiasm of the experienced authority on Constitutional Law. Some of his pupils had studied under Abbott Lawrence Lowell, now President of Harvard college Several had heard Lord Bryce speak, and all had read his remarkable book. No less a privilege was it to have the opportunity for these few weeks to study, review, and compare under M. Blondel.

(Continued on seventh page)

LETTERS FACULTY

MADE FRENCH LITERATURE, ART, AND HISTORY VIVID & INTERESTING

BY H. G. GILLAND

Since the purpose of the system of the American Soldier Students in French Universities was, above all, to give to the men qualified for such courses, an idea of France, and insight into her customs, rather than to furnish any specialized post-graduate work, it necessarily follows that the Department of Letters should be most concerned with the arrangement of such courses.

That this was indeed the purpose of the system has been substantiated by the placing of the men in French homes, where they have seen the life of the family from "close-up", and have had to talk the language, as well as abide by the entrenched regulations of local "foyers".

The faculty of Letters was well prepared to furnish the men with a vivid background for their new experiences. Unfortunately many of the men have never been able to appreciate this for a very excellent reason. They were ignorant of the tongue in which the lectures were delivered. But men who have understood, men who have been bitterly disappointed at first because they had not been allowed to go to Sorbonne, came to be quite reconciled when they discovered the calibre of the instruction at Rennes.

The Faculty of Letters has been treated historically in the general article on the University. It was the last of the faculties to leave the Art Museum Building, in which formerly all the faculties were housed. When the Church and the State separated, many buildings were left free to the uses of the State, and the Faculty found its home in the cloistered seminary which it now occupies.

At the beginning of the war, it moved into the Faculty of Science Building, leaving its home to give place to a military hospital for plastic-facial surgery.

The Faculty continued during the war, despite the losses of several important professors and a great depletion in its enrollment. In 1917 the number of students following the courses was 56, of which 21 were co-eds. When we consider that, in the four months from March to June 1919, it has taken under its wing in addition to the regular students, about 120 American Soldiers, the 1917 enrollment appears quite small.

(Continued on third page)

SUMMARY OF

QUESTIONNAIRES REVEAL THAT STUDENTS ARE FROM 82 COLLEGES AND HALF THE STATES IN THE UNION

If we were to superimpose, one picture upon the other, of every man studying here at Rennes, to arrive at the average American Student, we should find, the figure of a private 1st class, who has been to one of the major colleges back home.

He decorates his name with an AB and then an LLB, is not a Phi Beta Kappa man, but belongs to some of the other greek-letter frats, and was a student before the war, and took part in athletics to the extent of tennis, baseball, and football.

In the war he was mostly at the front, and mostly in the Argonnes. But here are the figures.

Of the 123 men here, there are 5 captains, 9 1st lieutenants, and 10 2nd lieutenants. The enlisted men count 1 Ordnance Sergeant, 2 regimental sergeant majors, 1 battalion sergeant major, 5 1st sergeants, 22 sergeants, 11 corporals, 29 privates 1st class, 20 privates. Also 1 musician 1st class, 1 musician 2nd class, 1 chauffer, 1 mechanic, and 1 wagoner. And — we nearly forgot — one field clerk.

Over three quarters of them have been in combat divisions, and seen the fray around the Argonne woods, a few have been in England, and the balance in the Service of Supply in France, mostly around Paris.

Nine combat divisions are represented; the 1st, 3rd, 26th, 28th, 30th, 36th, 77th, 78th, and 80th; three army corps, the 3rd, 6th, and 8th; the 3rd Army; and the remainder number quite a few S.S.U. men, of the U.S.A. Ambulance Corps, attached with the French troops, besides the Ordnance, Medical, Judge Avocate departments, and Mallet Reserve, also the Sanitary Corps and Coast Artillery Corps. Many of the men in these different departments and corps, were attached to the various Corps and Army troops.

There have been quite a few citations, and over half a dozen Croix-de-Guerres are to be seen, although the men have not all admitted it on their questionnaires, the results of which may be found on the middle pages of this issue.

These men represent 82 different colleges and schools, some of them have been at two, most of them at one. The subjects followed, indicated by the degrees, give the lead to the arts courses, the law following next. There are 19 BA men, 15 LLB, 4 BS, 1 LLM, 2 B. L. itt, besides a B. Arch, 1 DC, 1 MF, and 1 BPE.

There are represented here 33 different frats, and in the honor frat, Phi Beta Kappa, 3 men are enrolled.

All kinds of clubs are represented also, from the glee club to the Social Improvement for Dumb Animals clubs, including in its scope, engineering, debating, dramatical and even an S.O.L. club.

But, though the majority of the men were students, many have plied their various professions and trades, the lawyers taking the lead, with those engaged in commerce second. The trades include, electrical and structural engineering, and forestry.

Thirty states of the Union, and the District of Columbia, have furnished the University with material for pedagogical experiment. Every section of the United States is represented, from old New England, to the other side of the Rockies, and south to the border states.

There is a difference between the figures given above, and those given in a previous issue. The figures we have now obtained are as near correct as they can be obtained from the men, as all have not turned in their information slips, either through modesty or indifference, but as the majority have, we may form a good percentage basis as to what the others have done.

As You Were ou l'amitié franco-américaine dans les facultés rennaises

Dès 1918, mais plus encore en 1919, durant les quelques mois qui les séparent de leur retour aux États-Unis, plusieurs milliers de soldats américains, encadrés par la *YMCA* et l'*American University Union* (*AUU*), sont autorisés, par les autorités militaires américaines, à suivre des cours. Ces enseignements sont proposés dans les universités françaises, à Paris bien évidemment (on y compte plus de 2000 soldats-étudiants américains), mais également en province, comme à Bordeaux, Toulouse, Montpellier, Aix-Marseille, Grenoble, Lyon, Clermont-Ferrand, Dijon, Besançon, Nancy, Caen ou encore Rennes. Dans la capitale bretonne, une centaine d'étudiants américains (de 123 à 130, selon les sources), s'installe, à partir du 20 février 1919. L'arrivée à Rennes de ce détachement d'*AEF-Students* n'est sans doute pas étrangère à la présence d'unités américaines en Bretagne, mais tient aussi probablement aux liens qui unissent, déjà avant-guerre, des professeurs de la faculté de Lettres aux universités d'outre-Atlantique, notamment dans le cadre de L'Alliance française. Les soldats-étudiants rejoignent ainsi, sur les bancs des quatre facultés rennaises, les 890 étudiants inscrits pour l'année universitaire 1918-1919. Près de la moitié d'entre eux choisit le droit, les autres se répartissant entre les lettres, les sciences et la médecine. Un enseignement leur est spécialement préparé : à la faculté de Lettres, le programme comprend 14 heures hebdomadaires de cours de langue et de civilisation françaises (littérature, histoire, géographie, histoire de l'art et des idées philosophiques, religieuses et politiques). Quant à l'hébergement, la solution retenue à Rennes, au vu du petit nombre d'étudiants, est celle des *French Home*. La pension permet à l'étudiant de vivre dans un foyer français, sous réserve toutefois que ces familles conviennent aux consignes de moralité très claires, exigées du ministère français de la Guerre. La population rennaise, dans une ville surpeuplée encore soumise aux mesures de guerre, répond spontanément aux appels lancés par l'université et les autorités municipales. À la veille de l'arrivée des Américains, 162 personnes, dont plusieurs instituteurs, employés, rentiers ou veuves, ainsi que des professeurs des facultés rennaises, se portent volontaires à la mairie.

Si les modalités d'accueil des soldats-étudiants américains suscitent d'abord quelques inquiétudes chez les autorités, leur séjour semble se dérouler dans de bonnes conditions. En témoigne, la publication d'un journal, à l'image d'autres publications estudiantines américaines (*The Soldier-Student* à Montpellier, *Deux mots* à Clermont-Ferrand ou *Qu'est-ce que c'est?* à Toulouse) ou bien encore des dizaines d'autres revues, parues dans les ports bretons (*Pontanezen Duckboard* à Brest et le *Gang Plank News* à Saint-Nazaire). Le titre choisi, *As You Were* (« Ce que tu étais »), renvoie à leur condition de soldat, qu'ils sont encore, et à la citation du titre mise en exergue, « Frères d'armes, Frères de tradition, Frères d'idéal ». Ce sont, en tout, douze numéros qui sont imprimés chaque semaine, entre le 14 avril et le 21 juin 1919, sur les presses de *L'Ouest-Éclair*. Le comité de rédaction se compose de trois étudiants américains se partageant les postes de direction et de deux à cinq autres représentants de chaque faculté. Un ou deux étudiants français, selon les semaines, complètent ce comité éditorial. Le rédacteur en chef en est Max Bachrach, originaire de New York où il étudiait avant-guerre à la *School of Commerce, Accounts and Finance* de l'université Columbia. Les articles se font l'écho des questions relatives à l'*AEF Students-University*, des rencontres sportives (surtout de baseball et de tennis), principales distractions de ces étudiants et en marge, de rares points de vue sur l'actualité politique, inspirés surtout par les questions soulevées par le *Bolshevism*. Dans les numéros 3 et 4, édités en avril, des billets placés en une permettent aux étudiants de livrer leurs impressions sur la France, allant même jusqu'à créer une polémique autour de l'idée de la tolérance, qui serait la plus grande vertu du pays, pour les uns, mais seulement l'expression d'une sorte de désinvolture, pour les autres. Plus réguliers, des sujets sont également proposés sur l'histoire de la province, avec un regard ethnographique sur les us et coutumes qui les frappent le plus. Il en est ainsi pour le cercueil porté sur les épaules des proches du défunt, lors des obsèques. Des excursions organisées, parfois avec les professeurs de Rennes, sur la Côte d'Émeraude, au Mont-Saint-Michel, à Vitré ou dans le Trégor donnent lieu à des compte-rendus. En juin 1919, *As You Were* se fait aussi le relais de la décision prise par l'ensemble de l'*AEF-Students* d'honorer les facultés françaises de leur accueil en contribuant à financer la scolarité de quatorze *French soldiers students* ou *sons of soldiers* dans des universités américaines, dès l'année suivante. Ce geste recouvre à leurs yeux plus de valeur qu'une plaque commémorative : c'est un *permanent memorial* qui symbolise l'amitié franco-américaine, issue des combats et renouvelle les relations universitaires transatlantiques. Les rédacteurs d'*As You Were* ne s'y trompent pas en publiant, en une du

La une du dernier numéro d'*As You Were*, le journal des soldats-étudiants américains, paru le 21 juin 1919. Archives départementales d'Ille-et-Vilaine.

dernier numéro, un dessin sur fond d'hôtel de ville de Rennes avec ce titre : *We Have Enjoyed Ourselves Immensely* (« Nous nous sommes immensément amusés »). Des liens réciproques forts se tissent durant ces quatre mois. Les soldats-étudiants américains ont pu « apprendre quelque chose de la vie française » grâce au bon accueil des familles mais aussi grâce à l'université. Avec les étudiants français, ils ont participé à la reprise de la vie universitaire. Quant à la population rennaise, elle a pu s'ouvrir à la culture américaine en suivant les conférences du cercle d'études anglo-américaines. Ces liens, la faculté des lettres de Rennes souhaite les maintenir, d'abord en permettant à un de ses professeurs, Albert Feuillerat, de partir pendant une année, dès juillet 1919, à l'université de Yale, en tant que *visiting professor*. Puis la faculté formule le vœu, en janvier 1920, de voir se créer un enseignement de littérature anglo-américaine.

Claudia Sachet

Men Who Gave Courses To The Students

From left to right middle row are Prof. Fettu, M. Turgeon, (Dean of the Faculty of Law), M. Gerard-Varet, (Rector), M. Dottin, (Dean of the Faculty of Letters), and Prof. Feuillerat.

From left to right standing are the following professors : MMs. Grandmoulin, Philipot, Bodin, Girard, Nicolle, Musset, Arthur, Collas, Martin, Viard, Thélohan, Baumann, Blondel, Chauveau, Deprez, Lerebours-Pigeonnière, Bahon, Houlbert.

Sitting in Front are the following instructors; Moisau, Lequeret, Berto.

Une place d'honneur est accordée aux professeurs français dans le dernier numéro d'*As You Were*. Tous ont droit à une notice biographique et à une photographie de groupe qu'ils partagent avec les correspondants étudiants français. Archives départementales d'Ille-et-Vilaine. Claudia Sachet.

« Au revoir ». Photographie prise sur les marches de l'église Notre-Dame, près du Thabor à Rennes, extraite du dernier numéro d'*As You Were*, paru le 21 juin 1919. Les étudiants américains ont droit à une double page dans le numéro spécial. Une enquête réalisée parmi eux, quelques jours avant leur départ par le comité éditorial, rapporte que les trois-quarts d'entre eux se sont auparavant illustrés dans des unités combattantes engagées en Argonne, le quart restant venant d'Angleterre ou des services du ravitaillement, principalement de Paris. Archives départementales d'Ille-et-Vilaine. Claudia Sachet.

Le monument américain de Brest, cours Dajot, dans les années 1960. Archives municipales et communautaires de Brest.

Monuments commémoratifs et formes de reconnaissance

Le passage des Américains en Bretagne laisse des traces durables dans le patrimoine tant physique qu'immatériel. Dans les années qui suivent immédiatement l'armistice, de nombreuses plaques sont apposées dans les lieux marqués par la présence des Américains, en particulier dans les cimetières mais aussi dans les camps, les centres d'aviation ou les hôpitaux. Beaucoup d'entre elles ont disparu depuis ou ont un besoin urgent d'être restaurées. En revanche, certaines, apposées plus récemment, comme au Croisic en 1997 ou à Savenay, renouvellent et prolongent le témoignage de reconnaissance envers ces soldats, qui « vinrent en alliés et nous quittèrent en amis ».

Les monuments commémoratifs sont au nombre de trois en Bretagne. À Saint-Nazaire, où ont débarqué les premiers soldats venus d'outre-Atlantique, le 26 juin 1917, la fondation américaine *Saint-Nazaire Association of Base section I* finance la construction d'une œuvre en bronze de la sculptrice Gertrude Vanderbilt Whitney, représentant un jeune *Sammy* sur un aigle aux ailes déployées. Elle est inaugurée en 1926, en présence du général Pershing. Le 13 décembre 1941, date anniversaire de la première arrivée du président Wilson sur la terre de France, mais surtout une semaine après l'attaque japonaise sur Pearl Harbor et deux jours après la déclaration de guerre du Reich aux États-Unis, les Allemands abattent la sculpture pour en récupérer le bronze. Avant tout, il s'agit de détruire un symbole qui aurait pu devenir un lieu de recueillement pour les Français, dans cette zone occupée par l'ennemi. Une grande souscription franco-américaine, lancée par Michel Lugez, un agent maritime, permet la renaissance du monument à l'identique, dominant la plage du Grand Traict. L'inauguration a lieu le 24 juin 1989, présidée par Jean-Pierre Chevènement, ministre de la Défense.

À Brest, l'érection du monument américain est due à l'*American Battle Commission,* qui décide, en 1926, de rendre hommage à l'engagement de ses troupes de mer dans le port, le plus grand nombre de *Sammies* y ayant débarqué et réembarqué, entre novembre 1917 et 1919. Une violente polémique marque le choix du site d'implantation sur le cours Dajot. Il est perçu comme judicieux par certains, car dominant les quais où les troupes avaient quitté ou rejoint leurs grands bâtiments de transport, contesté, par d'autres, car touchant aux remparts de Vauban, alors même que depuis 1858 un escalier avait ouvert une brèche dans ces ouvrages. L'accord conclu, le 29 août 1927, entre le général Pershing, président de la Commission américaine des Monuments de guerre et Louis de Sartiges, chargé d'affaires à Washington, représentant le gouvernement français, concède gratuitement un terrain pour y ériger un monument à la mémoire des armées de mer américaines engagées dans le conflit. Celui-ci est inauguré en 1937. Âbimé lors d'un bombardement allié, il est complètement détruit par l'occupant le 4 juillet 1941, date anniversaire de l'*Independance Day*. Le monument est reconstruit et inauguré en 1960.

À Quiberon, la Borne de la Terre Sacrée, érigée en 1931, ne commémore pas de faits militaires précis, mais évoque la mémoire des « mères américaines ». La borne du Morbihan est l'une des cinq existant en France, les autres étant à Saint-Louis des Invalides, dans la chapelle du Simple soldat, à Cinq-Mars-la-Pile en Indre-et-Loire, à Ajaccio et à Meures, village de Haute-Marne, où vivait l'auteur de ces bornes, Gaston Deblaize. S'y ajoute celle du cimetière national d'Arlington, aux États-Unis. Très détériorée, elle est détruite en septembre 1938. Toutes identiques, ces bornes renferment la « terre sacrée » de douze champs de bataille de la Grande Guerre.

Après l'armistice, le Président Wilson et le général Pershing sont dignement célébrés et naturellement associés aux autorités françaises dans les vœux de reconnaissance de la population ou des autorités municipales. Le 17 novembre 1918, le conseil municipal de Saint-Servan exprime dans une même déclaration son admiration pour Clemenceau, Foch et Wilson, les deux premiers pour avoir libéré le territoire, le troisième comme « Bienfaiteur de l'Humanité ». L'attachement au président américain est bien antérieur à l'armistice et prend racine, le plus souvent, dès l'entrée en guerre des États-Unis et à l'arrivée du corps expéditionnaire américain. Ainsi, le 3 juillet 1918, pour célébrer l'*Independance Day*, le maire de Nantes propose de donner le nom du Président Wilson aux nouveaux quais en construction dans le bras de Pirmil. Un télégramme est d'ailleurs envoyé au Président lui-même pour l'avertir de cette intention. Dès le 4 juillet 1918, avant même la venue de Wilson en France, la place du Champ de bataille de Brest prend le nom du président américain. Le 9 août suivant, c'est Saint-Nazaire qui rebaptise la rue de Nantes en rue du Président Wilson. En 1925, ce nom laisse la place à celui d'Henri Gautier et se retrouve attribué à un tronçon du boulevard de Mer, anciennement boulevard de l'Océan, qui fait face au monument américain. Quant au conseil général d'Ille-et-Vilaine, il exprime sa reconnaissance à l'armée américaine et plus particulièrement aux unités présentes sur son sol, en ouverture de sa séance du 4 septembre 1918, dans une mention spéciale votée par acclamation.

Le substantif ou l'adjectif « américain » est également donné à plusieurs voies ou équipements : il en est ainsi du boulevard et du chemin des Américains, dans les quartiers nantais de Sainte-Thérèse et de Doulon, ce dernier accueillant également un pont des Américains, ouvert au trafic le 25 avril 1923. Saint-Nazaire n'est pas en reste et compte une voie américaine dans le quartier de Penhoët. Par ailleurs, le 30 décembre 1918, un nouveau pont est nommé « Pont de Saint-Mihiel », ville filleule de Nantes, en référence à la victoire américaine, en septembre 1918.

Plus rares sont les marraines de guerre américaines qui adoptent des orphelins français comme l'attestent les dessins d'écoliers des écoles nantaises. Des ouvrages, des livrets, des brochures sont édités, ainsi que des cartes postales, dont celle présentant les remerciements de « la France reconnaissante à ses Alliés », avec les portraits de deux chefs américains. Existent aussi de petites plaques émaillées, comme celles qui ont été retrouvées en 2004 dans le grenier de la mairie d'Antrain, au nord de l'Ille-et-Vilaine, qui rendent hommage aux nations alliées en ces termes : « le président Wilson et la nation américaine, les nations alliées, les chefs d'État [...] ont bien mérité de l'Humanité ».

En février 1919, à Rennes, le maire Jean Janvier pense dénommer la nouvelle caserne de cavalerie ou le boulevard qui lui fait face du nom du Président Wilson. Mais c'est finalement les noms de Clemenceau, pour le boulevard, et du général Margueritte, pour la caserne, qui sont retenus. En revanche, il confie la décoration du panthéon rennais au peintre Camille Godet, qui représente des soldats américains dans l'une des scènes peintes.

Si cette dénomination des espaces publics (rues, places, chemins, etc.) témoigne à l'évidence de la reconnaissance de l'aide apportée par les États-Unis, en 1917 et 1918, les remerciements des enfants sont aussi présents et souvent émouvants. Un autre aspect loin d'être négligeable, mais immatériel, est l'importance durable que prennent en Bretagne le jazz ou le basket pour ne parler que de ces formes très symboliques de la mémoire de la présence des Américains.

Alain Boulaire, Éric Joret et Claudia Sachet

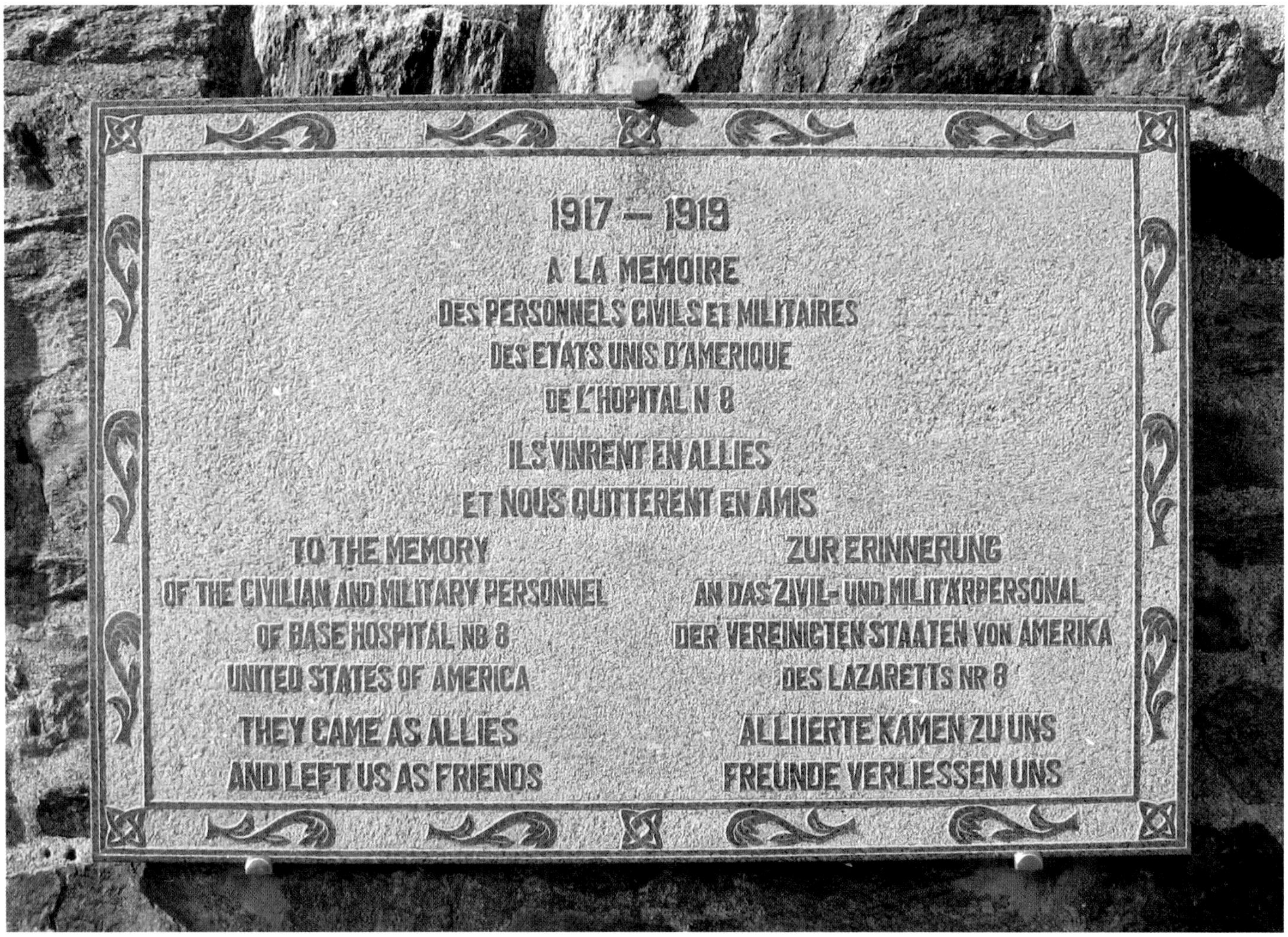

Pendant vingt-quatre mois, le *Base Hospital 8* bouleverse la vie de Savenay. Longtemps ignorée, cette présence américaine est sortie de l'oubli grâce aux recherches de Camille Hussenot-Plaisance. Comme au Croisic, une plaque commémorative est apposée en 1988, sur la façade du lycée actuel, en présence d'Evan J. Miller, vétéran américain, et du fils du commandant de l'hôpital, le colonel Cooper. La plaque est trilingue, en raison de la présence de nombreux prisonniers de guerre allemands. Photo et texte d'Odette Guibert.

En 1923, des citoyens et citoyennes américains, stationnés à Saint-Nazaire durant la guerre, se réunissent au sein de la *St. Nazaire Association*. Ils désignent l'artiste Gertrude Vanderbilt Whitney (1875-1942) pour réaliser un monument commémoratif. L'exécution de l'œuvre débute un an plus tard. Les éléments en bronze de la statue sont coulés au sein de la fonderie parisienne Henri Rouard, à partir de mai 1925, et l'édification du socle, confiée à l'entreprise Grazziana, commence en octobre 1925. L'aigle et la statue arrivent en gare de Saint-Nazaire, le 23 mai 1926. L'aigle est installé la première semaine de juin et, à la mi-juin, le soldat prend sa place sur son dos. La photographie représente l'élévation de la statue sur le piédestal du mémorial américain proposé par l'architecte Chaney. Archives municipales de Saint-Nazaire, fonds Maltier. Benoît Chabot.

16. SAINT NAZAIRE · Fête Franco-Américaine, 26 Juin 1923 · Mrs Whitney - M. Herrick - Le général Pershing, etc., assistent à l'inauguration du Monument

L'inauguration du monument américain de Saint-Nazaire est célébrée en grande pompe. Plusieurs festivités entourent cet événement, du 24 au 28 juin 1926 : parades militaires, concerts artistiques, événements sportifs, feux d'artifice. De multiples personnalités y assistent, parmi lesquelles Georges Leygues, ministre de la Marine, Daniel Vincent, ministre des Travaux publics, Myron Herrick, ambassadeur des États-Unis, les généraux Henri Gouraud et John Pershing, l'amiral Gleaves et le brigadier-général Samuel D. Rockenbach, sans oublier l'artiste Gertrude Vanderbilt Whitney, décorée de la Légion d'honneur à cette occasion. L'inauguration a lieu le 26 juin 1926, à 10 heures du matin. Dans son allocution, l'ambassadeur Herrick en profite pour réaffirmer l'amitié indéfectible unissant les peuples français et américain. Archives municipales de Saint-Nazaire. Benoît Chabot.

Le monument, ci-contre, dessiné par Gertrude Vanderbilt Whitney, représente un soldat américain, casqué, les bras grands ouverts, se tenant debout sur un aigle aux ailes déployées, agrippé au sommet d'une colonne. L'ensemble fait 21 mètres de haut. Le fantassin américain tient une épée à l'envers, dans sa main droite, près de la garde, qui symbolise une croix. Il incarne l'esprit de croisade qui anima les États-Unis lors de leur entrée en guerre pour la défense de la liberté et de la paix. Le soldat se trouve en position d'équilibre sur le dos de l'aigle, comme si tous deux touchaient terre après un long voyage. À eux deux, l'homme et le pygargue (aigle de mer), emblème des États-Unis, incarnent cette formidable projection de forces, réalisée par l'armée américaine à partir de juin 1917. Archives municipales de Saint-Nazaire. Benoît Chabot.

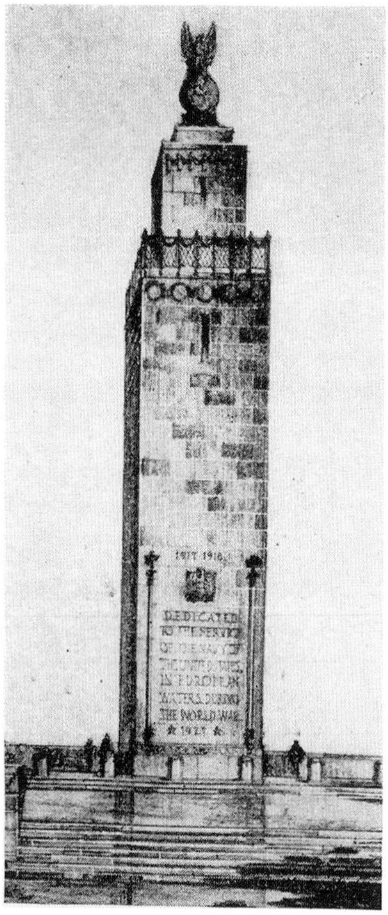

À Brest, en 1927, le gouvernenent français concède, à titre gratuit et perpétuel, « l'usage et la libre disposition » d'un terrain de 4 263,65 m² sur lequel l'*American Battle Commission* décide d'ériger une tour de 100 pieds, dominant le cours Dajot et rejoignant, le long de la falaise, la rampe d'accès au port de commerce, lieu de débarquement et de rembarquement des troupes. Le projet est confié à l'architecte américain, Howard van Doren Shaw. Sur ce dessin, l'aigle est posé au sommet de la tour, proposition non retenue dans le projet final. Deux granites différents sont utilisés, le premier à feldspaths rouges et verts, venant de la carrière des Traouieros à Ploumanac'h, le second, à feldspaths roses, extrait à l'Aber-Ildut. Extrait de l'ouvrage *A Guide to the American Battle Fields in Europe*, publié en 1927 par l'*American Battle Commission*. Alain Boulaire.

Après sa destruction pendant l'Occupation, le monument américain de Brest est reconstruit en 1960. Il est en granite rose de Ploumanac'h. Une inscription en américain et en français rappelle que l'*American Battle Commission* a voulu honorer ici l'engagement de l'armée de mer américaine, de 1917 à 1919, pour l'acheminement aller et retour des troupes engagées dans le conflit, soit environ 2 millions d'hommes, dont plus d'1,2 million sont passés par Brest. Classé monument historique, il domine le port de commerce, descendant jusqu'à la rampe d'accès qui conduit à ce dernier depuis la gare. Collection particulière. Tous droits réservés. Alain Boulaire et Christine Berthou-Ballot.

La Borne de la Terre Sacrée a été sculptée par Gaston Deblaize, à l'origine des autres bornes, en France et en Amérique. Le choix de son emplacement serait dû au fait qu'il s'agit de la première terre de France atteinte en ligne droite en allant de New York à Paris. Il n'est pas avéré qu'elle commémore une quelconque bataille navale, qui aurait pu avoir lieu au large de l'île de Théviec. La Borne est dédiée explicitement aux « Mères américaines » de soldats morts en France. Photographie prise le 5 août 2011. *Le Télégramme*. Alain Boulaire.

MCMXVIII
USN
ERECTED BY THE
UNITED STATES OF AMERICA
TO COMMEMORATE THE
ACHIEVEMENTS OF THE
NAVAL FORCES OF THE
UNITED STATES AND FRANCE
DURING THE WORLD WAR
★ ERIGÉ PAR LES ★
ÉTATS-UNIS D'AMÉRIQUE
POUR COMMÉMORER LES
HAUTS FAITS DES FORCES
NAVALES DES ÉTATS-UNIS
ET DE LA FRANCE PENDANT
LA GUERRE MONDIALE

22 juillet, 1918.

Marguerite Chèze
14 ans.

Reconnaissance aux Américaines, marraines de nos orphelines de guerre.

Andrée Glébeau – 8 ans. { Miss Mary d'Hurston
Leicester – Massachusetts – U.S.A.

Simone Bidel – 11 ans. { Mrs James Lawrie
29 Dixon Street – Tarytonw – New-York

Noëlla Bidel – 7 ans. { Miss Ruth W. Nevcome
31 Vauxhall Sreet – New London Commecticut
New York.

Marcelle Bargain – 8 ans. { Mrs W. P. Macomber
Wilton, N. Dak – U.S.A.

Louise Choblet – 7 ans. { Mrs J. J. Doyne Zupr
Lonoke – Arkansas – Etats-Unis.

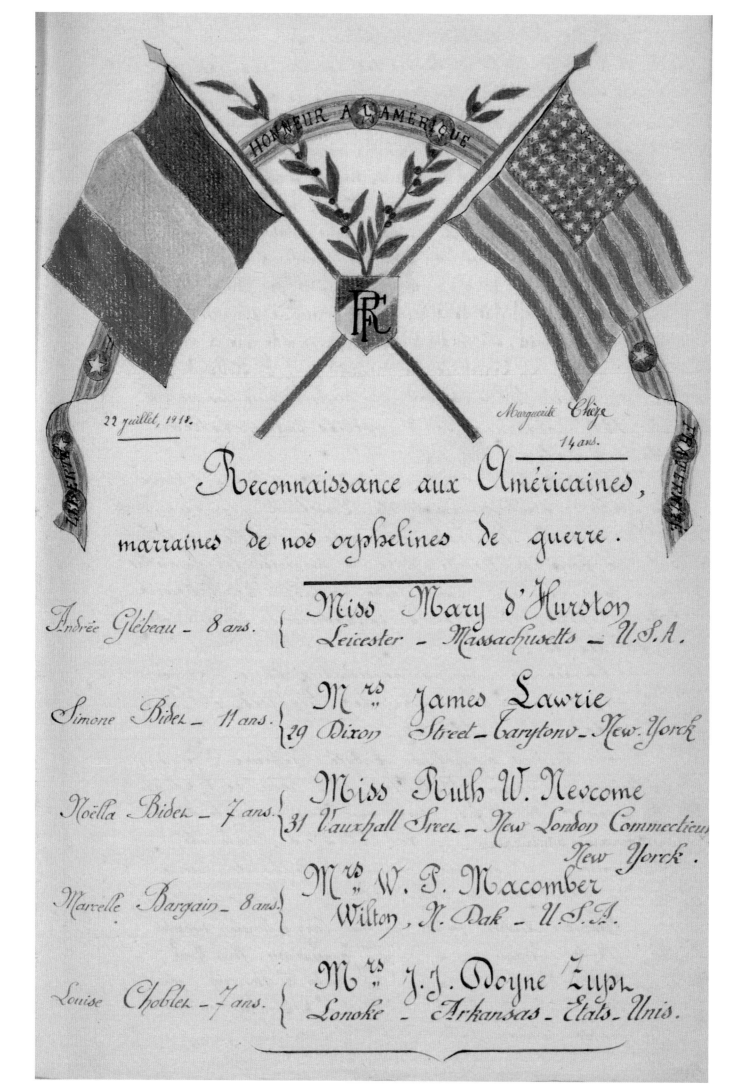

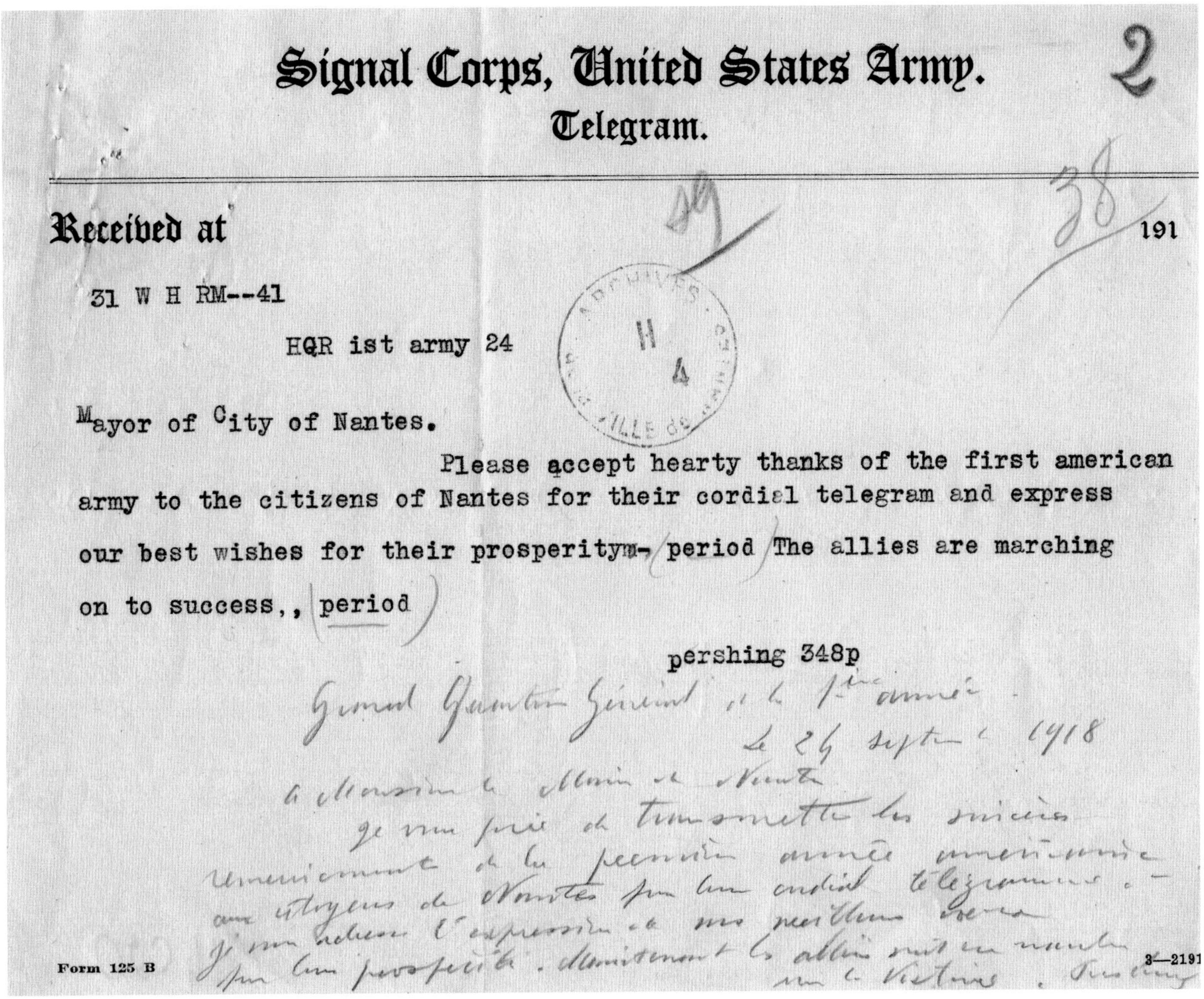

Signal Corps, United States Army.

Telegram.

2

38

Received at 191

31 W H RM--41

HQR ist army 24

Mayor of City of Nantes.

Please accept hearty thanks of the first american army to the citizens of Nantes for their cordial telegram and express our best wishes for their prosperitym- period The allies are marching on to success,, period

pershing 348p

Form 125 B

3—2191

En 1915, la ville de Nantes manifeste le désir d'adopter Saint-Mihiel comme filleule. La libération de la ville par l'armée américaine, le 13 septembre 1918, lui donne l'occasion de réaliser ce projet. Le conseil municipal officialise cette adoption, dès le 20 septembre 1918. Le maire, Paul Bellamy, télégraphie au général Pershing : « Au nom de tous les habitants de la ville de Nantes, qui saluent cette délivrance, je vous adresse, pour tous les héros qui l'ont réalisée, l'hommage de notre admiration… » En retour, le général Pershing envoie un télégramme au maire. Archives de Nantes, télégramme adressé à Paul Bellamy, maire de Nantes par le général Pershing, 24 septembre 1918. Archives municipales de Nantes. Véronique Guitton.

Les filles orphelines de guerre, de l'école primaire Émile Péhant à Nantes, sont adoptées par des marraines américaines. Les élèves adressent leurs photographies à leurs bienfaitrices et échangent avec elles des correspondances. Chaque orpheline reçoit 45 francs par trimestre. La directrice écrit qu'en témoignage de reconnaissance, les écoliers et écolières nantais adoptent en retour un orphelin américain. Archives municipales de Nantes. Véronique Guitton.

L'intensification des arrivées de navires déchargeant hommes et matériel accélère les travaux d'aménagement des quais de Loire, prévus avant-guerre, en particulier ceux du quai sud de la Prairie-au-Duc, le quai de Pirmil. Ce dernier accueille de nombreux magasins, hangars et grues pour l'armée américaine. « Ce quai, réalisé pendant la guerre, servira à la grande œuvre de paix que nous préparons. Il accueillera les navires de toutes les grandes nations ; nos enfants y salueront le noble drapeau qui aura fait briller à nos yeux, au cours des dures épreuves d'aujourd'hui, les étoiles annonciatrices de la Victoire ! » Par ces mots, le 3 juillet 1918, la veille de la célébration de l'*Independance Day*, Paul Bellamy, maire de Nantes, propose à son conseil municipal de dénommer « Quai Président Wilson » le quai de Pirmil, première inscription dans le territoire nantais de la présence américaine. Quai Wilson occupé par le Service des transports de l'armée américaine. Photographie prise par le caporal A.Q. Smith du *Signal Corps*, 23 février 1919, *NARA*. Archives municipales de Nantes. Véronique Guitton.

Dès son retour de la guerre en 1918, le peintre rennais, Camille Godet, réalise une première fresque dans un salon privé du théâtre municipal de Rennes (actuel Opéra). D'après ses croquis de guerre, il représente la vie dans les tranchées, les différents moyens de transport et les Alliés. Dans un angle de la pièce, le maire de Rennes Jean Janvier, en uniforme, est assis à côté du président de la République, Raymond Poincaré. Ils font face à deux officiers, dont l'un est le général américain, Charles Pelot Summerall, qui avait été reçu à la mairie de Rennes, le 18 novembre 1917, après avoir assisté, quelques jours plus tôt, à une représentation au théâtre municipal. Photo et texte de Joël David.

En 1922, un Panthéon est inauguré dans l'hôtel de ville de Rennes. Il est installé au rez-de-chaussée et est destiné à rendre hommage aux Rennais morts pour la France. L'architecte de la ville, Emmanuel Le Ray, confie au peintre Camille Godet, la réalisation d'une fresque. Les différents corps des armées françaises et alliées y sont représentés. L'une des scènes montre une colonne de soldats américains, qui semble relever les héros de Dixmude, incarnés par le fusilier marin breton. Photo et texte de Joël David.

Près de dix ans après l'armistice, le congrès annuel de l'Union nationale des Combattants (UNC) se tient à Saint-Malo, du 24 au 28 mai 1928. Des délégations étrangères sont invitées à se joindre aux anciens combattants français, lors de la journée de clôture. Si les Serbes et les Roumains, empêchés, sont excusés, les Belges, Anglais, Russes, Italiens et Américains assistent, dans un esprit confraternel, depuis le bastion de la Hollande, à la cérémonie commémorative donnée en l'honneur des marins morts pour la France. Dans son édition des 29 et 30 mai, *Le Salut*, journal de la région malouine, relate que le porteur de la bannière étoilée est d'une « imposante prestance ». Plus tard, dans la salle des fêtes de l'hôtel de ville de Saint-Malo, le drapeau de l'*American Legion* se distingue des autres, encadré par une garde d'honneur de soldats américains en armes et tenue de campagne. Archives départementales d'Ille-et-Vilaine. Claudia Sachet.

Pour rejoindre le front, les soldats américains, arrivant en France, sont embarqués dans des wagons, appelés des 40-8, comme l'indique l'inscription se trouvant sur le côté : 40 hommes-8 chevaux (en long). Ils sont choqués de constater que ce sont des wagons à bestiaux. Très marqués par cela, dès leur retour à Paris, en 1919, des soldats fondent la Société « 40 et 8 » et portent un insigne triangulaire sur leur uniforme avec ce chiffre. Dans les années trente, des vétérans français font parvenir à Détroit (États-Unis) un de ces wagons à la « Société des vétérans américain *40 & 8* ». Ceux-ci lui donnent le nom de la chanson des soldats français de 1914, *La Madelon*. Photographie *National Museum World War I*, Kansas City. Joël David.

Après la Seconde Guerre mondiale, l'organisateur de la Voie de la Liberté, en remerciement du Train de l'Amitié, qui apporte des États-Unis des vêtements et de la nourriture à la population française, propose la création d'un « Train de la Reconnaissance Française au peuple américain ». En 1948, 48 wagons appelés des 40-8, rejoignent les 48 états américains remplis d'objets typiquement français. Finalement, le train part en janvier 1949, avec un wagon supplémentaire destiné à Hawaï. À part quelques wagons qui disparaissent, les autres sont toujours exposés au public. Photographie John Irving. Joël David.

SSUXXVI
41523
AMERICAN FIELD SERVICE
687
SSUXXVI
41523

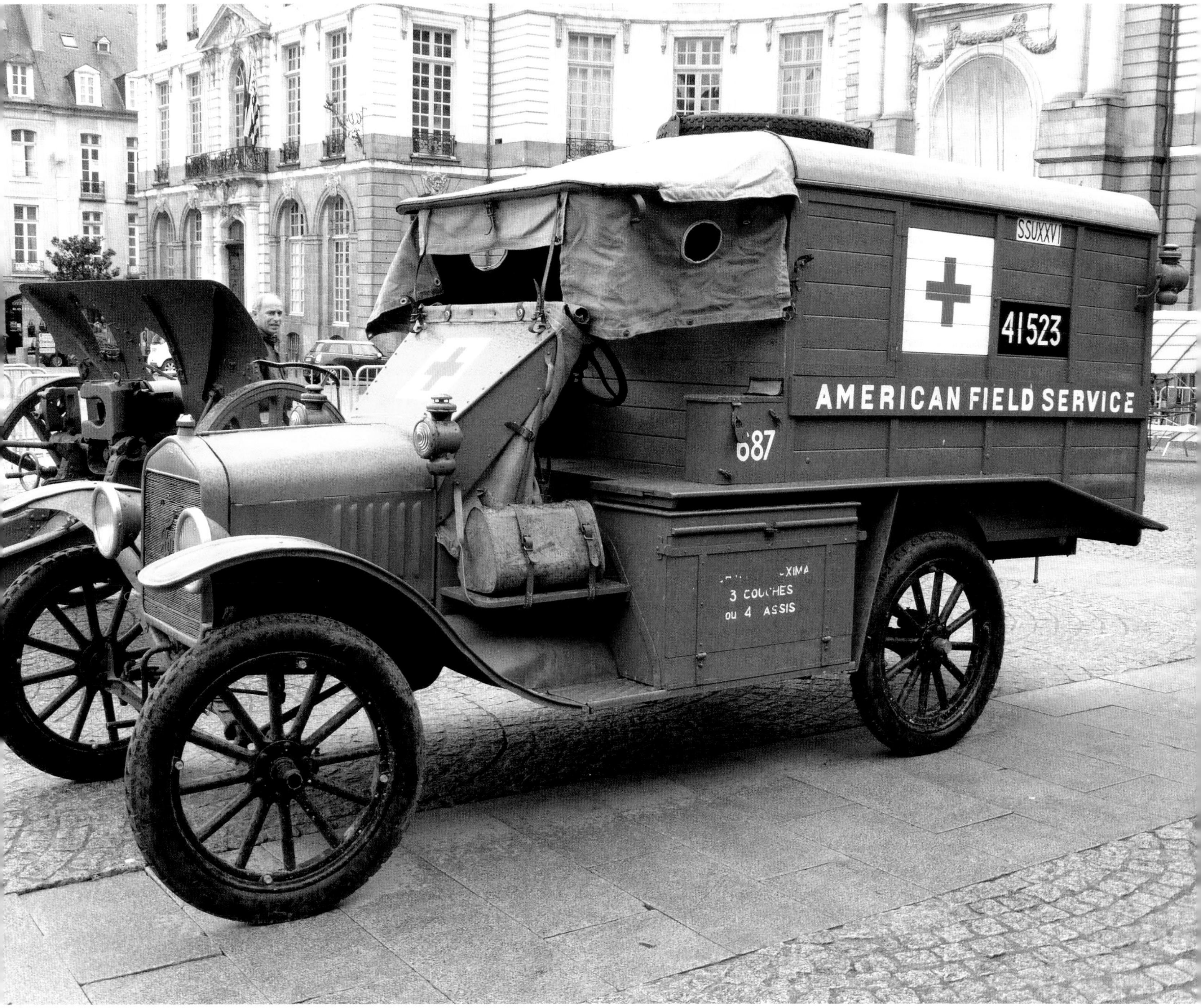

En 1914, est fondé, à l'hôpital américain de Neuilly, un service d'ambulances, destiné à évacuer les blessés. L'*American Field Service (AFS)* se charge de trouver des bénévoles sachant conduire. Le constructeur automobile Ford fournit des châssis modèle T qui arrivent par bateau dans des caisses. L'armature de bois sert à fabriquer les bancs et les casiers et est assemblée chez un carrossier de Billancourt. Certains brancards étant plus longs, des trous sont faits dans la ridelle arrière et fermés par des fourreaux en cuir, afin de protéger les poignées qui dépassent du véhicule. Ambulance prêtée par un collectionneur breton pour les Assises de la mémoire partagée, à Rennes, en 2013. Photographies Paul Garnéro. Joël David.

Perry, conducteur d'ambulance de la Croix-Rouge américaine et son épouse française le jour de leur mariage, dans les environs de Brest. *National World War I Museum and Memorial*, Kansas City.

Amours, amitiés et influences mutuelles

Au-delà des monuments, des représentations des soldats, des pèlerinages, des souvenirs, les relations entre les hommes et les femmes engagés dans un conflit prennent souvent le chemin des sentiments. Idylles, amitiés et amours estompent les nationalités, pour le meilleur ou pour le pire.

Dès l'année 1917, les relations entre les soldats américains et les populations locales sont fréquentes. Promenade en calèche pour les enfants et présentation de matériels aux jeunes filles à Montoir, discussion près du château de Brest, l'arrivée des Américains est une véritable découverte pour les habitants de l'Ouest. À l'arrière du front, pendant les heures de repos, villageoises et soldats partagent des instants de paix, comme à Louppy-le-Château, où des couturières absorbées par leurs tâches en oublient même le photographe !

Le thème de la mariée – *The Bride* – sujet de plaisanterie classique propre à toutes les armées – retentit au grand jour, à l'issue du conflit. Il y a des mariages, bien évidemment, mais également des divorces précoces. La question des enfants, nés de ces unions, éclate dès la fin du conflit. La presse américaine s'empare de cette controverse comme *The Evening Star* du 3 octobre 1919, dont le chroniqueur, dans un article d'une page intitulé *Ours Boy's French brides*, recueille des témoignages de femmes. Joies et tragédies se confondent. Un appel aux autorités est publié dans le *Sun* du 7 octobre de la même année. Ce voile qui se déchire peu à peu met en relief le statut de la femme française et, en creux, celui de l'Américaine. Une pièce de théâtre, créée à l'Odéon en 1920, *Les Américains chez nous,* d'Eugène Brieux, un grand succès populaire, met en scène une fiancée américaine dans une famille classique française. Liberté et autonomie d'un côté, conservatisme et incompréhension de l'autre. Édifiant ! L'accession à la vie politique de douze millions de femmes américaines, lors des élections locales d'août 1920, creuse encore le fossé entre les deux pays.

Les registres des mariages des communes abritant les grands camps américains révèlent les nombreuses unions, en particulier en 1919, lorsque la déchirante séparation se profile avec le départ des troupes. Deux cent quatre-vingts mariages à Brest, cent-neuf dans les communes alentour, deux cent vingt-huit à Saint-Nazaire unissent Américains et Françaises. À Redon, nœud ferroviaire d'importance pourtant, un seul mariage en 1919, celui d'Albert Harry Warren, 22 ans, chauffeur, de Crozier (Arizona) avec Marie-Madeleine Cheval, sans profession, de Redon, âgée de 18 ans. À Saint-Malo, huit mariages unissent Françaises et Américains, sur un total de 208 actes. À Rennes, aucune union en 1918, 12 en 1919, une seule en 1920, le marié n'étant pas soldat, mais mécanicien. La première union rennaise a lieu le 11 janvier 1919, entre Joseph La Bonte, 26 ans, machiniste, cuisinier dans l'armée américaine et Irène Guihard, secrétaire, âgée de 17 ans.

Pour des jeunes filles mineures françaises, se marier nécessite l'assentiment des parents ou de leurs tuteurs. Prendre pour époux un soldat en partance révèle parfois des situations difficiles. En mars 1919, le ministère de la Justice, en accord avec les autorités américaines, organise juridiquement les cérémonies. Du côté américain, le futur époux doit attester, sous serment, devant « l'avocat militaire », son état civil et sa situation matrimoniale, son commandant devant le certifier. Un document, traduit en français, est nécessaire… Se comprendre, c'est aussi s'aimer ! Il est difficile, pour un *Dougboy* de réunir, dans le même canton, sept témoins le connaissant personnellement. La déposition de soldats de son régiment ou d'amis français suffit désormais pour dresser des actes de notoriété. À l'issue de la cérémonie, l'officier d'état civil de la commune du lieu du mariage transmet un extrait de l'acte au *Central Records Office American Expeditionary*.

De ces unions, des photographies nous sont parvenues, grâce aux familles : Henry Vaughan et Marcelle Carré à Saint-Nazaire, Jeanne Claudine Merrand et John Lyubanovitch à Brest… ou aux services américains comme celui de Clarence A. Marlette, sergent à la Croix-Rouge américaine, qui a conservé de nombreuses images de Brest, dont celles du mariage de Perry, son collègue, conducteur d'ambulance, avec sa fiancée française.

Dans les registres de Brest, à la lecture de quelques actes, transparaissent des idylles étonnantes. Le 2 janvier 1919, Joseph Anne Chambers, chef mécanicien de l'armée des États-Unis à bord du *Prometheus,* se marie avec Marie Joséphine Sagès, fille majeure de Léon, quartier maître musicien en retraite. Son frère, Emile Sagès, quartier maître armurier, est témoin. Les sous-officiers mécaniciens, Carl Wheeler, William Stansfield, Leon Mowisette, tous du *Prometheus*, accompagnent le marié. Et, le même mois, c'est Philip Cummings Gordon, lui aussi mécanicien de l'armée américaine à bord du *Prometheus*, qui épouse Andrea Jeanne Hansen, sujette danoise. Le frère de l'époux, John A. Gordon, aspirant au 48e régiment d'artillerie, Ralph A. Greenman, mécanicien sur le *Prometheus*, Thomas O. Mallen, chef mécanicien sur le *Prometheus* sont les témoins du marié. Le 7 janvier suivant, James Conway, mécanicien de l'armée américaine sur le *Prometheus* épouse Hélène Sagès, 20 ans, la seconde fille du quartier maître musicien en retraite. Joseph Chambers est le seul témoin américain. C'est aussi le beau-frère d'Hélène ! En un mois, ont lieu trois mariages de mécaniciens du *Prometheus* ! Et avec deux sœurs ! Il est vrai que le *Prometheus*, navire charbonnier transformé en atelier de réparation pour les autres navires, est en rade pendant le conflit avec

737 hommes à bord. Cette présence constante de l'équipage dans le port de Brest n'est pas étrangère à ces idylles. Une histoire des équipages de ces navires reste à écrire !

Les unions se font aussi entre sujets des Amériques. Le 7 janvier 1919, Joseph Edgar McClelland, capitaine du corps médical des Forces expéditionnaires américaines, né à Inverness et résidant à Kerhuon, épouse Joan Wynndhom Quinn, infirmière du corps des infirmières américaines, née à Montréal, résidant à Rouen, hôpital général numéro 9. Elle est née en 1890, lui en 1897. À l'exception de Sample B. Forbus, consul des États-Unis d'Amérique, domicilié à Brest, rue Jean Macé, tous les témoins sont issus de l'hôpital de Kerhuon : James Britt, lieutenant dans le corps médical, Ralph L. Byron, capitaine dans le corps médical, Joseph W. Schoffstall, capitaine dans le corps médical. On peut lire aussi, dans les premières pages de ce registre, le mariage d'un soldat naturalisé américain à 17 ans ! Le 2 janvier 1919, Théodore Tourette, soldat de première classe de l'armée des États-Unis, né à Besseges dans le Gard en 1901, naturalisé américain par l'officier de naturalisation le 7 octobre 1918, fils d'un mineur, épouse Louise Marie Autret, sans profession, née à Tréguier en 1901, fille d'un retraité de la Marine habitant Brest. Ils ont tous deux 18 ans. Une étude détaillée de ces sources mettrait en lumière tous ces noms, ces destins que la guerre a unis et permettrait aussi de retrouver leur descendance. Les liens d'amitié sont restés très forts après le conflit, des liens que s'approprient les enfants par-delà l'océan. Virginia Wood et Yvonne Lebreton s'échangent des lettres… *Lend a Helping Hand!* Venir en aide, tendre une main secourable, prêter main-forte, tout est dit dans la légende de la carte postale !

Éric Joret

Accoudés à la rampe qui mène à la porte Tourville de l'arsenal de Brest, un marin américain et une Bretonne, portant la coiffe traditionnelle, devisent tout en gardant un œil sur un enfant habillé de façon bourgeoise. Ce cliché, pris en septembre 1918, par Edmond Famechon, photographe de l'armée française, semble tout droit sorti des belles images tendant à illustrer la fraternité et la quiétude régnant dans le port de Brest. Bien évidemment, la vie trépidante du port de Brest n'est pas une vue de l'esprit et la réalité est tout autre. Est-ce une commande ? Une gentillesse octroyée aux protagonistes par cette belle journée ensoleillée ? La scène semble baigner dans une irréelle sérénité. Les sourires illuminent les visages, la guerre semble loin. SPA 152 R 5164 © Edmond Famechon/ECPAD/Défense. Éric Joret.

Les yeux des jeunes de la région de Saint-Nazaire sont éblouis par la puissance des moyens déployés par les Américains. Encouragés par la gentillesse des soldats, ils n'hésitent pas à les rejoindre et à se faire photographier. De ces rencontres, des familles conservent encore ces traces ténues du passage de l'armada américaine, preuve de la très forte impression de ces événements dans la mémoire collective. Beaucoup de témoignages concordent pour dire que les soldats américains rendent visite aux habitants et se montrent généreux quand ils découvrent le dénuement dans lequel vivent de nombreuses familles françaises, après trois longues années de guerre. Ils sont souvent d'un abord facile et sont très gentils avec les enfants. Ils offrent à ceux-ci quantité de friandises et pour leur faire plaisir, leur proposent parfois une promenade. Collection Michel Mahé. Éric Joret et Michel Mahé.

En septembre 1918, dans le cantonnement du 109e régiment d'infanterie américain, à Louppy-le-Château (Meuse), des soldats américains se détendent, après la seconde bataille de la Marne et les combats de Fismes. Ils ne portent pas le *Campaign Hat* à larges bords, mais le bonnet de police, adopté, à partir de 1918, comme coiffure réglementaire pour les périodes de repos. Souriant au photographe de la Section photographique de l'armée (SPA), ils semblent heureux de la présence de femmes du village, venues raccommoder des uniformes. SPA 329 M 5557 © Albert Moreau/ ECPAD/Défense. Gilbert Nicolas.

Un couple de civils, Joséphine et Félix Baleux, accueille chaleureusement deux soldats américains, à leur arrivée dans le petit village de Brieulles-sur-Bar (Ardennes), en octobre 1918. Cette photographie, acquise dans une brocante par le maire, Pierre Guéry, est connue en France et aux États-Unis (Archives nationales de Washington). L'un des deux soldats est Allen Floyd, de la 42e division d'infanterie, dite *Rainbow Division* (division Arc-en-ciel), composée d'hommes issus de 26 états américains différents. Lors des opérations militaires en France, cette division subit de lourdes pertes (2 058 tués et 12 625 blessés) et compte, parmi ses chefs, Douglas MacArthur. Archives départementales des Ardennes, collection Pierre Guéry. Gilbert Nicolas.

Une grande partie de la population masculine française est mobilisée. Les Américains profitent en quelque sorte de cette situation et savent plaire aux jeunes filles. Beaucoup d'entre elles travaillent à l'intérieur des camps, souvent comme secrétaires ou lavent le linge des civils et militaires américains. Nombre d'idylles aboutissent à un mariage. Les ressortissants américains n'épousent pas que des Françaises. Ils convolent également avec quelques compatriotes, souvent infirmières au sein des hôpitaux. Le 18 janvier 1919, Marcelle Carré, 23 ans, épouse Henry Vaughan, du même âge, à la mairie annexe de Méan Penhoët, à Saint-Nazaire. Ce mariage est l'un des 228 célébrés dans cette ville. La famille Carré conserve un souvenir vivace de cette grande tante émigrée au Tennessee et a récemment renoué des relations avec un des petits-fils de ce couple. Collections ANGENEA, Saint-Nazaire Tourisme et Patrimoine-Écomusée et famille Carré. Michel Mahé.

Posant au bord d'un bras de mer – est-ce la rade de Brest ? – le conducteur d'ambulance de la Croix-Rouge américaine, Perry, épouse sa fiancée française, entourée de ses amis et de la famille. D'après les coiffes, il semble que les femmes de Plougastel soient du nombre. Cette photographie provient d'un ensemble de quatre clichés conservés au *National World War I Museum and Memorial* de Kansas City. Une photographie du couple et une scène de banquet complètent ce beau et joyeux mariage. Le pays de Brest compte de nombreuses unions : 284 dans la ville, 109 dans les communes alentour. Un quart des mariages de 1919 concerne les couples franco-américains. *National World War I Museum and Memorial,* Kansas City. Éric Joret et Christine Berthou-Ballot.

Les Merrand-Lyubanovich, une famille franco-américaine. C'est le 4 novembre 1919 que Jeanne Claudine Merrand, originaire de Plouigneau, près de Morlaix, se marie à Brest avec John George Lyubanovich, soldat américain, originaire de Croatie. Ils se rencontrent dans le restaurant brestois, où travaille Jeanne. Cette dernière a quitté la ferme familiale, étant la cadette d'une famille de dix enfants. Le couple quitte Brest pour New York. Ils ont trois enfants et trois petits-enfants. Ci-dessous, en mars 2016, lors du 96e anniversaire de leur tante, Suzanne (2e à partir de la gauche), Jeanette et Géraldine (à droite et à gauche sur la photo) accueillent aux États-Unis leurs petites cousines bretonnes, Monique Collin (2e à partir de la droite) et sa fille Sylviane L'Echelard. « Des liens très forts se sont noués », assure cette dernière. Collection famille Merrand-Lyubanovich. Tous droits réservés. Grégoire Laville.

Lend a Helping Hand! Venir en aide, tendre une main secourable, le titre de cette carte postale envoyée d'Altoona par le soldat Joseph à Yvonne, le 28 septembre 1919, illustre les liens réciproques unissant les deux jeunes gens. Le petit soldat blessé en défendant la France a lui-même reçu les soins d'une jeune infirmière française. Emportés par ce grand conflit, Joseph et Yvonne jettent sur cette période un regard empreint de tendresse. Ci-dessous, il demande à Yvonne une photographie d'elle. « Je souvent penser de vous » (*sic*), écrit-il à celle qui est restée de l'autre côté de l'Atlantique. Ils se sont rencontrés à Montoir. Collection Michel Mahé. Éric Joret.

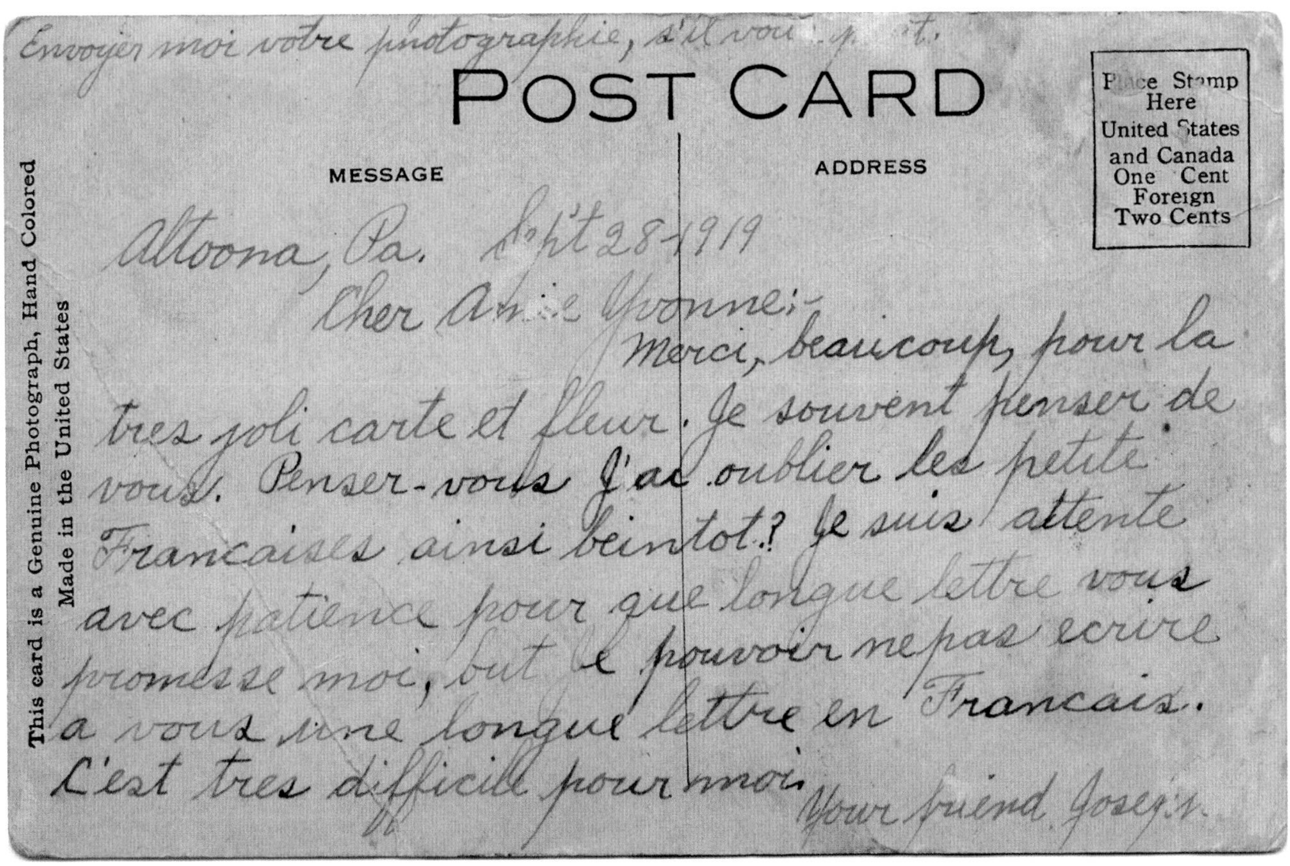

Envoyer moi votre photographie, s'il vous plait.

POST CARD

Place Stamp Here United States and Canada One Cent Foreign Two Cents

This card is a Genuine Photograph, Hand Colored
Made in the United States

MESSAGE

ADDRESS

Altoona, Pa. Sept 28-1919

Cher Amie Yvonne:-

Merci, beaucoup, pour la tres joli carte et fleur. Je souvent penser de vous. Penser-vous J'ai oublier les petite Francaises ainsi beintot? Je suis attente avec patience pour que longue lettre vous promesse moi, but le pouvoir ne pas ecrire a vous une longue lettre en Francais. C'est tres difficill pour moi.

Your friend Joseph.

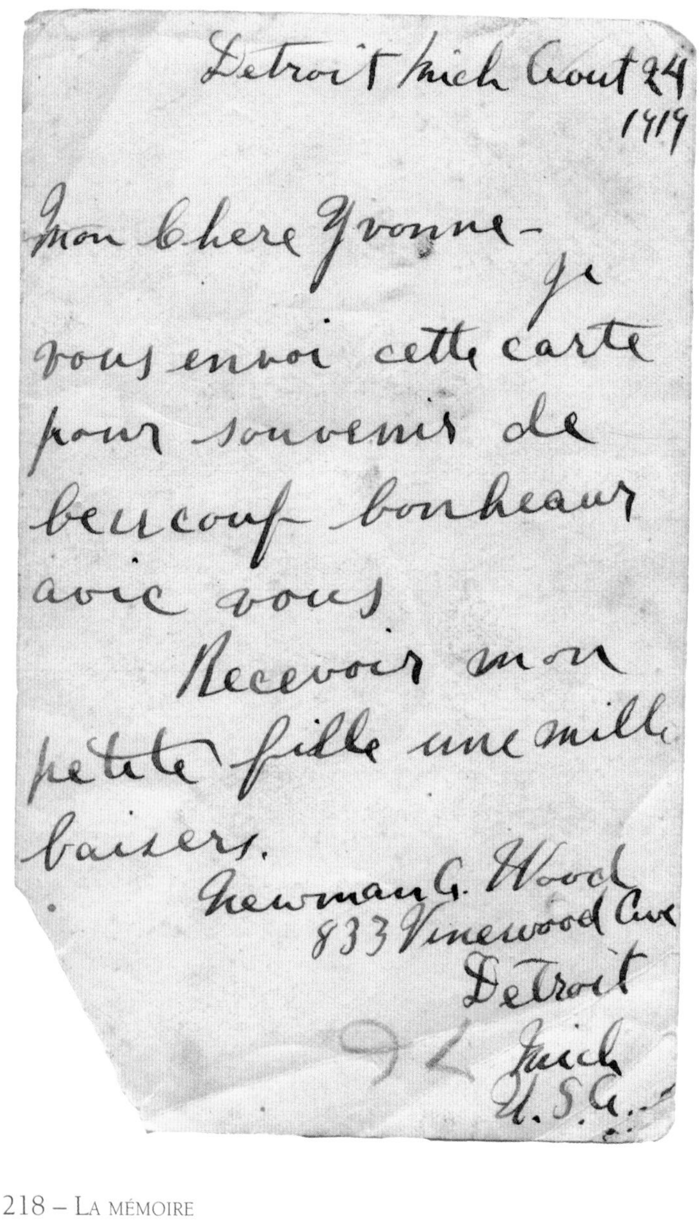

Detroit Mich Aout 24
1919

Mon Chere Yvonne-
je
vous envoi cette carte
pour souvenir de
beucoup bonheaur
avic vous
Recevoir mon
petite fille une mille
baisers.
Newman G. Wood
833 Vinewood Ave
Detroit
Mich
U.S.A.

En dehors des idylles, de nombreux liens d'amitié s'établissent entre soldats et civils. Ces derniers habitant près des camps américains, nouent des relations amicales qui perdurent, quelquefois longtemps après la guerre. Le soldat Newman Adolphus Wood, originaire de Détroit, mobilisé dans l'intendance, stationne une partie de l'année 1918 au camp de Bellevue-Gron, à Montoir. Il se lie d'amitié avec de jeunes filles françaises, et entretient avec elles une correspondance qu'il poursuit après son retour aux États-Unis. Cette photo, prise à Détroit, où il pose avec ses enfants, est très émouvante. Il exprime au dos du document toute la gratitude pour l'accueil qu'il a reçu quand il était en France. Collection Michel Mahé. Michel Mahé.

Michel Mahé, un des auteurs de cet ouvrage, a reconnu sur le cliché ci-contre sa mère, sa tante et une de leurs amies. De la tourmente qui a dévasté l'Europe reste dans une famille cette photographie d'une locomotive pilotée par un groupe de jeunes filles, sous le regard d'un mécanicien, bien loin de sa patrie. Une rencontre entre deux mondes, encore étrangers l'un pour l'autre. Collection Michel Mahé. Éric Joret.

En 1918, la famille d'Edouard Ollivier, de Saint-Nicolas-de-Redon, héberge chez elle un officier américain qui se lie d'amitié avec les enfants, en particulier avec Thérèse. Américains et Français passent, quand cela est permis, de bons moments ensemble, comme en témoignent ces photographies. On s'amuse, on prend des poses, la jeune Française allant même jusqu'à enfiler le manteau de l'officier. Lors du départ, on s'échange les adresses qui sont écrites au dos des photos. La famille garde précieusement ces minces mais précieux souvenirs, auxquels elle ajoute le chapeau d'un *Doughboy* avec lequel les enfants des générations suivantes ont tous joué ou qu'ils ont porté. L'officier américain revient en France, après la Seconde Guerre mondiale, et cherche, mais en vain, à revoir ses amis français. Collection Marie-Renée Hamon (Sixt-sur-Aff). Photographie Jean-Philippe Millot. Claudia Sachet.

Indications bibliographiques

Audoin-Rouzeau Stéphane (dir.), Becker Jean-Jacques (dir.), *Encyclopédie de la Grande Guerre, 1914-1918 : histoire et culture*, Montrouge, Bayard, 2013.

Audoin-Rouzeau Stéphane, Becker Annette, Coeuré Sophie (éd.), *La politique et la guerre : pour comprendre le xxe siècle européen : hommage à Jean-Jacques Becker*, Paris, A. Viénot, Noésis, 2002.

Barjot Dominique (dir.), *Les sociétés, la guerre, la paix*, 1911-1946, Paris, SEDES, 2003.

Bauerkämper Arnd, Julien Élise (éd.), *Durchhalten ! : Krieg und Gesellschaft im Vergleich : 1914-1918*, Göttingen, Vandenhoeck – Ruprecht, 2010.

Binot Jean-Marc, *Héroïnes de la grande guerre*, Paris, Fayard, 2008.

Bourlet Michaël (dir.), Lagadec Yann (dir.), Le Gall Erwan (dir.), *Petites patries dans la Grande Guerre*, Rennes, Presses universitaires de Rennes, 2013.

Bourlet Michaël, *L'armée américaine dans la Grande Guerre, 1917-1919*, Rennes, Éditions Ouest-France, 2017.

Braybon Gail, Summerfield Penny, *Out of the cage: Women's Experiences in Two World Wars*, London, New York, Pandora Press, 1987.

Bruce Robert, *A Fraternity of Arms: America and France in the Great War*, Lawrence, University Press of Kansas, 2003.

Budreau Lisa, Prior Richard, *Answering the call: The U.S. Army Nurse Corps, 1917-1919*, Office of the Surgeon General, US Army, Department of the Army, 2008.

Cabanes Bruno, *La victoire endeuillée. La sortie de guerre des soldats français, 1918-1920*, Paris, Éditions du Seuil, 2014.

Cabanes Bruno, *Les Américains dans la Grande Guerre*, Paris, Gallimard/ministère de la Défense, 2017.

Carlier Claude, Pedroncini Guy (éd.), *Les États-Unis dans la Première guerre mondiale, 1917-1918*, Paris, Economica, 1992.

Carlisle Rodney, *U.S. Merchant Ships and American Entry into World War I*, Gainesville, University Press of Florida, 2011.

Celephane Lewis P., *History of the Naval Overseas Transportation Service in World War I*, Washington D.C., Naval History Division, 1969.

Center of Military History, *American Armies and Battlefieds in Europe*, Washington D.C., US Army, 1995.

Center of Military History, *Order of Battle of the United States Land Forces in the World War*, Washington D.C., 5 vol., US Army, 1988.

Center of Military History, *United States Army in the World War 1917-1919*, Washington D.C., 17 vol., US Army, 1988-1992.

Chickering Roger, Förster Stig (éd.), *The Shadows of Total War: Europe, East Asia, and the United States, 1919-1939*, Washington : German historical institute, Cambridge, Cambridge University Press, 2003.

Cobb Stephen, *Preparing for Blockade, 1885-1914: Naval Contingency for Economic Warfare*, Farnham, Burlington, Ashgate, 2013.

Cochet François, Porte Rémi (dir.), *Dictionnaire de la Grande Guerre : 1914-1918*, Paris, Robert Laffont, 2008.

Cochet François, *La Grande Guerre : fin d'un monde, début d'un siècle : 1914-1918*, Paris, Perrin, ministère de la Défense, 2014.

Coutin Cécile, *Tromper l'ennemi : l'invention du camouflage moderne en 1914-1918*, Paris, Éd. P. de Taillac, 2012.

Desplantes Anne, *Les grands réseaux de chemin de fer français pendant et après la Première Guerre mondiale : 1914-1921*, Lille, ANRT, 1995, Doctorat Nouveau Régime, Histoire contemporaine, Paris I, 1995, dir. M. Becker.

Evans Mark L., Grossnixk Roy A, *United States Naval Aviation*, 2 vol., Washington D.C., Defense Dept., Navy, Naval History and Heritage Command, 2015.

Fouchard Dominique, *Le poids de la guerre : les poilus et leur famille après 1918*, Rennes, Presses universitaires de Rennes, 2013.

Gleaves Albert (vice-amiral), *A History of the Transport Service, Adventures and Experiences of United States Transports and Cruisers in the World War*, New York, George H. Doran Company, 1921.

Halpern Paul G., *A Naval History of World War I*, London, Routledge, 1994.

Harter Hélène, *Les États-Unis dans la Grande Guerre*, Paris, Tallandier, 2017.

History of the U.S.S. Leviathan: Cruiser and Transport Forces, United States Atlantic Fleet, New York, Brooklyn Eagle Job Department, 1919.

Irwin Julia F., *Making the World Safe. The American Red Cross and a Nation's Humanitarian Awakening*, Oxford, Oxford University Press, 2013.

Jones Heather, *Violence against Prisoners of War in the First World War: Britain, France, and Germany*, 1914-1920, Cambridge, New York, Melbourne, Cambridge University Press, 2011.

Kaspi André, *La France et le concours américain : février 1917-novembre 1918*, thèse, Paris I, 1975.

Kaspi André, *Les Américains*, volume I : *Naissance et essor des États-Unis, 1607-1945 (1986)*, Paris, Éditions du Seuil, 2014.

Keene Jennifer D., *Doughboys, the Great War and the Remaking of American*, Baltimore, The Johns Hopkins University Press, 2001.
Le Gallo Yves, *Histoire de Brest*, Toulouse, Privat, 1976.
Le Roy Thierry, *La Guerre sous-marine en Bretagne 1914-1918, Victoire de l'aéronavale*, Quimper, autoédition, 1990.
Le Roy Thierry, *Les Bretons et l'aéronautique des origines à 1939*, Rennes, Presses universitaires de Rennes, 2002.
Milton Cooper John, *Woodrow Wilson: A Biography*, New York, Vintage Books, 2009.
Morareau Lucien, Feuilloy Robert, Courtinat Jean-Louis, Le Roy Thierry, Rossignol Jean-Paul, *L'Aviation maritime française pendant la Grande Guerre*, Paris, ARDHAN, 1999.
Morin-Rotureau Évelyne (dir.), *Combats de femmes, 1914-1918 : les Françaises, pilier de l'effort de guerre*, Paris, Éditions Autrement, 2014.
Morin-Rotureau Évelyne (dir.), *Françaises en guerre : 1914-1918*, Paris, Autrement, 2013.
Morrow John Howard, *The Great War in the Air: Military Aviation from 1909 to 1921*, Washington, Smithsonian Institution Press, 1993.
Nivet Philippe (dir.), Coutant-Daydé Coraline, Stoll Mathieu, *Archives de la Grande Guerre : des sources pour l'histoire*, Rennes, Presses universitaires de Rennes, 2014.
Nouailhat Yves-Henri, *France et États-Unis, août 1914-avril 1917*, Paris, Publications de la Sorbonne, 1979.
Nouailhat Yves-Henri, *Les Américains à Nantes et à Saint-Nazaire, 1917-1919*, Reflets du Passé, Nantes, 1972.
Nouailhat Yves-Henri, *Les États-Unis et le monde de 1898 à nos jours*, Paris, Armand Colin, 2000.
Oddone Patrick, *Britanniques et Américains : au combat dans le ciel des Flandres*, Balinghem, Éditions du Camp du drap d'or, 2008.
Olier François, *Les hôpitaux temporaires de Bretagne (1914-1918)*, Autoédition, Caen-Mondeville, 1990.
Osborne Eric W., *Britain's Economic Blockade of Germany, 1914-1919*, London, New York, Frank Cass, 2004.
Pacaud Serge, *L'aviation durant la Grande Guerre 1914-1918 : illustrée par les cartes postales et les journaux de l'époque*, Romorantin, CPE, 2013.
Redford Duncan, *The Submarine: A Cultural History from the Great War to Nuclear Combat*, London, New York, Tauris academic studies, 2010.
Saintourens Thomas, *Les Poilus de Harlem. L'épopée des Hellfighters dans la Grande Guerre*, Paris, Taillandier, 2017.
Sondhaus Lawrence, *World War I: the Global Revolution*, Cambridge, New York, Melbourne, Cambridge University Press, 2011.
Thébaud Françoise, *Les femmes au temps de la guerre de 14*, Paris, Éd. Payot & Rivages, 2013.
Votaw John F., *The American Expeditionary Forces in World War I*, London, Osprey, 2005.
Winter Jay Murray (dir.), Becker Annette (éd.), *La Première Guerre mondiale. Volume I, Combats*, Paris, Fayard, 2013.
Winter Jay Murray (dir.), Becker Annette (éd.), *La Première Guerre mondiale. Volume II, États*, Paris, Fayard, 2014.
Winter Jay Murray (dir.), Becker Annette (éd.), *La Première Guerre mondiale. Volume III, Sociétés*, Paris, Fayard, 2014.
Winter Jay Murray, « Commemorating Catastrophe: Remembering the Great War 100 Years on », *Matériaux pour l'histoire de notre temps*, 113-114, 2014/1, p. 166-174.
Winter Jay Murray, *Remembering War: The Great War between Memory and History in the 20th Century*, New Haven, Yale University Press, 2006.
Zunz Olivier, *La philanthropie en Amérique : argent privé, affaires d'État*, Paris, Fayard, 2012.

Crédits photographiques et remerciements

Archives départementales d'Ille-et-Vilaine (Claude Jeay), de Loire-Atlantique (Philippe Charon) et du Morbihan (Florent Lenègre)
Archives municipales de Nantes, Rennes et de Saint-Nazaire (Gaëlle Ouvrard)
Archives municipales et métropolitaines de Brest (Chantal Rio)
Association ANGENEA (Guy Abin et Jean-Paul Guerroult)
Association des Amis de l'Histoire de Savenay
Bibliothèque nationale de France/Département de la Reproduction
Bibliothèque patrimoniale des Champs Libres (Sarah Toulouse)
Cartophiles du Finistère (Jean Quinquis)
Centre de recherche bretonne et celtique (Philippe Jarnoux)
Conseil régional de Bretagne et ville de Rennes (Lenaïc Briéro, conseillère du président du CRB et adjointe au maire)
ECPAD (Établissement de Communication et de Production Audiovisuelle de la Défense) :

- Christophe Jacquot (contrôleur général des Armées, directeur)
- Gabrielle Touret (responsable de la valorisation des archives)
- Vincent Blondeau (chargé de clientèle)

Éditions du Lérot (Étienne et Jean-Paul Louis)
Le Télégramme (Édouard Coudurier, président directeur général)
Médiathèque de l'architecture et du patrimoine
Musée départemental Breton (Catherine Troprès)
National World War I Museum and Memorial, Kansas City (Stacie Petersen)
ONACVG (Office national des Anciens combattants et Victimes de guerre) (Antoine Rodriguez, directeur et Benoît Luc)
Réunion des Musées nationaux
Saint-Nazaire Tourisme et Patrimoine (Thérèse Dumont)
School Year Abroad :

- Tom Hassan (président, États-Unis)
- Erin Ericson (directrice associée, chargée du mécénat, États-Unis)
- Denis Brochu (directeur, Rennes)
- Benjamin Sabatier (professeur)
- Sophie Boynton (assistante de direction, Rennes)

Familles Bowllan, Carré, Childs, Cooper, Faulkner, Guion, Miller, Shleifer, Wheeler

Amet Alain
Bardet Olivier
Bierman Brock
Castel Guy
Chauvin Michel
Collin Monique
Colvin Jeanette
Courant Hugues
Dantel (sculpteur)
Eisenbach (peintre)
Garnero Paul
Gauthier Patrick
Georgeault Brigitte
Gibault François
Hamon Marie-Renée
Irving John W.
Isbled Bruno
Jean Patrick
Joret Adrien
Kersuzan Laurence
Landais Didier
La Paumélière Patrick et Agnès de
Le Breton Delphine
L'Echelard Sylviane
Llosa Marie
Meirion Jones Gwyn

Millot Jean-Philippe
Pavret de la Rochefordière Yves
Perrot Pierre
Petit Samuel (correspondant presse, *Le Télégramme)*
Pircu Maria Cristina
Piveteau Béatrice
Piveteau Bénédicte
Potet Jean-Claude (Fonds Potet)
Prigent Marie-Rose
Quennec Nicolas (Fonds Victor Girard)
Rault François
Renaud Marie-Annick
Renouard Cécile
Rotolo Emeline
Tardy-Joubert Hubert (conseiller pour les discours du ministre de l'Europe et des Affaires étrangères)
Tumoine Pascale
Woodcock Bryan (archiviste indépendant américain)
Woodcock Deborah (petite-fille du sergent Miller)

ECPAD

Agence d'images de la Défense depuis 1915

L'ECPAD, agence d'images du ministère de la Défense depuis 1915, dispose de collections exceptionnelles d'archives audiovisuelles et photographiques : **12 millions de clichés** et **31 000 titres de films**. Ce fonds, progressivement numérisé, est constamment enrichi par la production des reporters militaires, les versements des organismes de la Défense et les dons des particuliers.

Constitué en établissement public administratif depuis 2001, l'ECPAD est un **centre d'archives et de production audiovisuelle** de premier plan, reconnu par ses partenaires de la Défense et les professionnels de l'image.

Sous la tutelle du ministre de la Défense, l'établissement réalise, en France et dans le monde, des reportages photo et vidéo, contribuant ainsi à une meilleure compréhension de l'actualité de la défense.

L'ECPAD a pour mission de garantir la disponibilité permanente d'équipes de reportage formées aux conditions de tournage opérationnel pour **témoigner en temps réel de l'engagement de nos armées** sur tous les théâtres d'opérations.

Ces **soldats de l'image** transmettent les images réalisées pour une mise à disposition immédiate aux médias français et étrangers et contribuent ainsi à la réalisation de journaux et de magazines d'information.

L'ECPAD participe à la **transmission de la mémoire** par la valorisation des archives audiovisuelles de la Défense : il est ainsi (co)producteur de films, (co)éditeur d'ouvrage, et réalise et/ou participe à des expositions.

Acteur de l'éducation et de la recherche, il accompagne des scolaires, des étudiants et des enseignants pour leur faire découvrir les fonds d'archives et favoriser ainsi l'essor d'une mémoire partagée et de l'idée de citoyenneté.

Enfin, l'École des métiers de l'image (EMI) fait également de l'ECPAD un **centre de formation** dans les domaines photo, vidéo, son, lumière, multimédia, médias sociaux et écriture journalistiques.

Contact : communication@ecpad.fr

Élèves de *School Year Abroad* Rennes ayant participé à des recherches sur les thèmes de l'ouvrage

Année 2013-2014

1 ALASSAR Tayma
2 BERMAN Sydney
3 CHARO Isabelle
4 COLLINS Alice
5 DONTSOV Olivia
6 GUO Lin
7 HUNTER Abigail
8 HURTADO-BRAUN Daniel
9 JOHNSON Nefertiti-Isis
10 KARP Maya
11 KIM Madeline
12 MILLER Ruth
13 MISAKI Aimée
14 PIÑEIROS Martina
15 VALE Sophia
16 ALEXANDER Celine
17 BOWLLAN John
18 BRAVO Jason
19 BREUER Nathalie
20 BROTHERSON Ariella
21 GORSCH Lindsey
22 GUION Eliza
23 HARE Anyaliese
24 KANG Jenny
25 MAGUIRE Katherine
26 NEILL Abigail
27 SHAPER Helen
28 SHLEIFER Daniel
29 SINCLAIR Amanda
30 St. CLOUD Arielle
31 SUBRAMANIAM Tara
32 ZLATAREV Edward

Place de la Mairie, à Rennes, le 28 février 2014, des élèves de *School Year Abroad* (École américaine de Rennes) avec le professeur Gilbert Nicolas, devant une Ford T américaine de l'*American Field Service*.

Année 2014-2015

33 CARAGOZIA Emma
34 CURRA Natalie
35 DE FORT-MENARES Lee Gigi
36 DENBY Sam
37 FRIESEN Lizzie
38 HOLBROOK Hannah
39 McPHERSON Taylor
40 NGUYEN Brittany
41 RHODES John
42 VITTON Olivia
43 WANG Marisa
44 WOODS Léa
45 ZHAO Camilla
46 BROCK Lucy
47 BULK Jack
48 FORRESTER Iona
49 HOEK Briana
50 HOFLEY Carolyn
51 KANE Anna
52 KILEY-BERGEN Elizabeth
53 LOCHER Daria
54 MEGARGEE Maddie
55 MEWKILL Heather
56 PADILLA Luis
57 REAVES Alexis
58 ROCHA Julia
59 ROLLINS Elliott

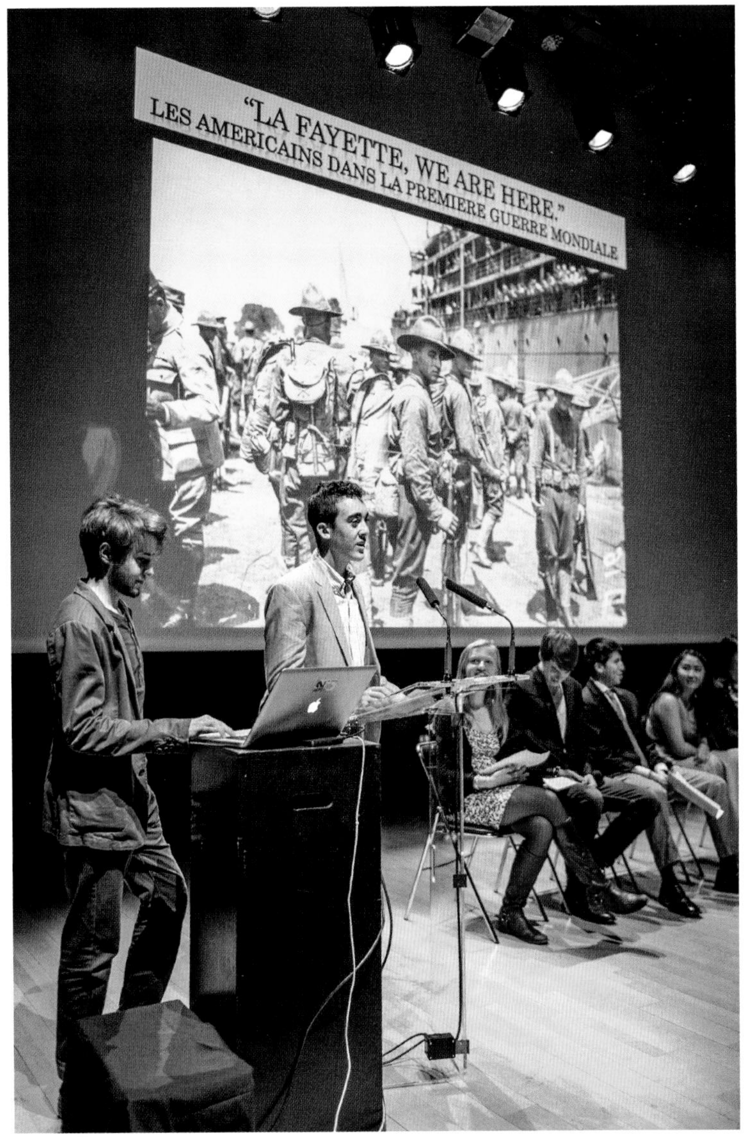

Étudiant de Master d'histoire de l'université Rennes 2 et élèves américains, lors de la restitution des recherches sur les Américains dans la Grande Guerre, Auditorium du Tambour, 15 avril 2014.

Les 13 élèves chargés de la présentation des recherches de *School Year Abroad* sur la Grande Guerre, auditorium du Tambour, université Rennes 2, 15 avril 2014.

Année 2015-2016

60 BILLIK Cole
61 BRAINERD Malcolm
62 BROWN Jolisa
63 BROWNE Nikkie
64 CAZIN Marguerite
65 CONTE William
66 ESSOKA-LASENBERRY Amadi
66 GAO Louis
68 GILMORE Assata
69 HALL Anna
70 KWIECINSKI Kalena
71 McCUTCHEON Daya
72 McLANE Kathryn
73 MORRISON Xia
74 SCHLESINGER Katie
75 TILTON Marijka
76 VOSMIK Luisa

Élève présentant la biographie de son arrière-grand-père, combattant américain de la Grande Guerre.

Année 2016-2017

77 BARNES Nailah
78 BELLO Veronica
79 BUCHER Sarah (Lexi)
80 DONAHUE Aidan
81 FLORES Daphne
82 HUMPHREYS Mia
83 OGDEN-LORD Katya
84 PATTERSON Ashley
85 PFEFFER Elliana

Élèves de la promotion 2015-2016 *SYA* au Panthéon Rennes, 28 avril 2016.

Les auteurs

LES DIRECTEURS DE L'OUVRAGE

Gilbert NICOLAS, professeur émérite d'histoire contemporaine, chercheur associé au laboratoire Tempora EA 7468, université Rennes 2, enseignant à *School Year Abroad* (École américaine de Rennes), lieutenant-colonel de la Réserve citoyenne

Éric JORET, conservateur en chef du patrimoine, Archives départementales d'Ille-et-Vilaine

Jean-Marie KOWALSKI, maître de conférences, Paris-Sorbonne/École navale

LES AUTEURS

Christine BERTHOU-BALLOT, conservatrice en chef du Patrimoine, responsable du service Patrimoines, Ville de Brest et Métropole

Samuel BOCHE, archiviste, responsable de projets de valorisation culturelle, Archives départementales de Loire-Atlantique

Valentin BOGARD, titulaire d'un master 2 d'histoire contemporaine

Alain BOULAIRE, agrégé d'histoire, docteur ès lettres, professeur en classes préparatoires (H)

Michaël BOURLET, docteur en histoire, officier supérieur, professeur d'histoire-géographie

Benoît CHABOT, archiviste, Archives municipales de Saint-Nazaire

Roch CHÉRAUD, maire de Saint-Viaud, Loire-Atlantique

Joël DAVID, chargé d'odonymie, Rennes

Odette GUIBERT, présidente des Amis de l'Histoire de Savenay

Véronique GUITTON, directrice des Archives municipales de Nantes

Xavier LAUBIE, conservateur du Patrimoine, Service historique de la Défense, chef de division Nord-Ouest-Brest

Grégoire LAVILLE, journaliste

Thierry LE ROY, docteur en histoire, chercheur associé à Tempora, université Rennes 2

Michel MAHÉ, historien local, spécialiste de la présence américaine dans la région de Saint-Nazaire (1917 et 1919), président de l'association d'histoire sociale, AREMORS

Chloé PASTOUREL, titulaire d'un master d'histoire, université Blaise Pascal, Clermont-Ferrand

Ronan RICHARD, docteur en histoire, chercheur associé à l'EA Tempora, université Rennes 2

Claudia SACHET, archiviste, Archives départementales d'Ille-et-Vilaine

Index

C

D

E

F

G

H

I

J

K

L

O

P

Q

R

S

Y

Table des matières

Imprimé en France par SEPEC 01960 Péronnas - N° d'impression : 05045170902

IMPRIM'VERT®